为 人 生 提 供 领 跑 世 界 的 力 量

BLACK SWAN

斯坦福
高效睡眠法

〔日〕西野精治

著

尹凤竹

译

SLEEP

スタンフォード式最高の睡眠

文化发展出版社
Cultural Development Press

图书在版编目（CIP）数据

斯坦福高效睡眠法 ／（日）西野精治著；尹凤竹译.
—北京：文化发展出版社有限公司，2018.7
　　ISBN 978-7-5142-2373-6

　　Ⅰ．①斯… Ⅱ．①西… ②尹… Ⅲ．①睡眠－研究
Ⅳ．①R338.63

中国版本图书馆CIP数据核字（2018）第156137号

著作权合同登记号：01-2018-4960

斯坦福高效睡眠法

作　　者：[日] 西野精治
译　　者：尹凤竹

责任编辑：肖润征
出版发行：文化发展出版社（北京市翠微路2号　邮编：100036）
网　　址：www.wenhuafazhan.com
经　　销：各地新华书店
印　　刷：河北鹏润印刷有限公司

开　　本：880mm×1230mm　1/32
字　　数：130千字
印　　张：7
版　　次：2018年10月第1版　2019年11月第5次印刷
定　　价：45.00元
ＩＳＢＮ：978-7-5142-2373-6

本书若有质量问题，请与本公司图书销售中心联系调换。电话：010-82069336

斯坦福的完美睡眠法

序　言

确保最佳的睡眠，能使白天的效率达到最大化。

本书旨在以斯坦福大学近30年的睡眠研究成果为中心，介绍"帮你打造个人史上最佳睡眠"的方法。

例如，从睡眠时间来看，人们常常认为REM睡眠[①]和非REM睡眠[②]的周期为90分钟，所以总体的睡眠时长应以90分钟的倍数为宜，但实际情况是，"90分钟"未必就是一个准确的周期时间。

所以，即使睡眠时长为90分钟的倍数，但醒来时依旧不舒服的情况也是常有的。

---

① REM睡眠：即快速眼球运动（Rapid Eyes Movement），在此睡眠阶段，眼球会不由自主地快速移动。——译者注
② 非REM睡眠：指没有快速眼球运动的睡眠阶段。——译者注

　　针对这些坊间的说法，本书会通过最新的科研成果来加以验证，并介绍一些正确的知识和方法。

　　接下来，将结合有"世界第一睡眠研究所"之称的斯坦福大学睡眠研究所以及睡眠生物规律研究所（Sleep and Circadian Neurobiology Lab，以前简称为SCN研究所）的研究证据，来给大家介绍能实现更好的睡眠、更有效度过白天的"斯坦福式高效睡眠方法"。

斯坦福大学睡眠研究所

　　据说，全美国现在的睡眠诊所数量已经有2000~3000家。

　　这表明人们对于睡眠的关注度很高，并且很多人都有睡眠方面的困扰。

　　即便没有到失眠的严重地步，也很少有人表示自己在睡眠方面得到了满足。

　　繁忙的商务人士多少都有一些睡眠方面的问题。

　　不过，睡眠问题绝不是现代的产物。睡眠障碍的存在其实由来已久。

　　例如，我所研究的发作性嗜睡症（一种突然犯困的睡眠疾病）就是最典型的嗜睡病症，早在140年前法国的文献中对此就有记载。

日本关于睡眠问题的记载，则可以追溯到非常遥远的平安时代，在当时记录有21种疾病的画卷《病草纸》中，就出现了患有失眠症的女子和极度爱睡觉的嗜睡男子。

另外，睡眠医学的发展历史并不长。在很长一段时间里，人们都认为睡眠不就是休息嘛，所以几乎没有人对此进行专门的研究。

真正的转机出现在1953年，当时科学界发现了所谓的REM睡眠。

身体处于睡眠状态，但大脑依旧在运转，这种被称为REM睡眠的不可思议的状态，你经历过吗？在美国的大学中，斯坦福大学是最早关注睡眠医学的学校。

1963年，斯坦福大学设立了世界上首个正式的睡眠研究机构——斯坦福大学睡眠研究所，吸引了一大批优秀的人才，其中就有REM睡眠发现者之一的威廉·德门特（Wiliam C.Dement）教授，他也是我的导师。同时，还划时代地开设了睡眠门诊。

1972年，德门特教授和克里斯琴·耶基米诺（Christian Guilleminault）教授在全世界范围内第一次就睡眠障碍进行了科学系统的论述。

1989年，斯坦福大学编写出了第一本睡眠医学的教科书。我参与撰写了其中的一章。这本教科书现在依然在被使用，每当发现新的研究成果时都会进行改版，目前已经是第六版了，书的厚度也达到了15厘米。

德门特教授于1975年建立了睡眠学会，并通过发行学术杂志 *Sleep* 等方式超越了大学范畴，在全世界的睡眠研究中发挥着领军的作用。

1990年，其应美国议会的要求，对睡眠障碍的现状进行了调查。睡眠障碍会导致各种各样的疾病，据估算，包括生产事故在内，其造成的经济损失高达700亿美元。这也让人们知道了睡眠的重要性以及睡眠障碍的危害，因此美国成立了"美国国立睡眠研究所"。

由此可见，斯坦福大学为睡眠医学的发展做出了巨大的贡献。

之后，睡眠医学的研究开始趋向多样化。

现在，哈佛大学的"睡眠计划"项目、威斯康星大学的睡眠医学·睡眠研究所和匹兹堡大学针对失眠症的研究都取得了让人惊叹的成果。同时，在基础研究方面，法国里昂大学和美国加利福尼亚大学洛杉矶分校也都做出了很大的贡献。

但是，睡眠研究的中心依然是斯坦福大学，这么说并非出于偏袒之心。

因为，以哈佛大学为首的、当今仍活跃于世界的睡眠研究人员，基本上都有短期或长期在斯坦福大学工作的经历。

"世界睡眠的研究始于斯坦福大学。"

这样说，也毫不为过。

"睡得久"就是"睡得好"吗？

在介绍斯坦福大学和睡眠医学之前，我想先提一个问题。

所谓最佳睡眠，具体是指怎样的睡眠呢？

比起"量"来，"质"才更重要。吃饭也好，物品也好，工作也好，都是"质"重于"量"。可以说，这是一个全球性的认知。

● 比起大分量和随意的吃，人们更希望的是少吃一些味道好的、对身体健康的食物。

● 比起拥有很多东西，人们更希望的是使用精挑细选、高品质的物品，过着简朴的生活。

● 比起无尽的加班，甚至休息日都上班，人们更希望的是短时间内高效而集中的工作。

对于我们来说，这些都是理所当然的事情。但是，为什么在"睡眠"这一问题上，却不是这样呢？

现在很多人都有睡眠方面的精神压力，诸如白天犯困、大脑迷糊、起床痛苦等，而且大家会有意地去追求睡眠的"量"，认为还是应该再多睡一会儿。

然而，对于每天都很忙碌的现代人来说，要想确保"比之前更多"的睡眠时间，是一件很不现实的事情。

很少有人能做到每晚在零点前入睡，同时每天早晨睡到自然醒。时间原本就很有限，要在工作、家务、育儿、兴趣爱好等大量的"应该要做的事"和"想做的事"的夹缝中，获得充足的睡眠时间是异常困难的。

"如果很忙的话，就只能缩短睡眠的时间了"这样的想法看似有点悲哀，但这也是无可奈何的事。

假设我们有足够的时间，可以在床上待多久都行，但这样一来，可能又会遇到很多其他的睡眠问题，如睡不着、睡醒依旧不解乏等。甚至有研究表明，睡眠时间过长，反而对身体不利。

那么，我们就先从结论开始说吧。

与睡眠有关的烦恼和精神压力，是无法仅仅通过"对量的确保"来解决的。

清醒与睡眠

最佳的睡眠与"量"无关。

与睡眠相关的烦恼，无法用"量"来解决。

那么，重新思考一下最佳睡眠究竟是什么呢？

答案就是，只有在大脑、身体、神经都处于最佳状态时，才能真正实现的高质量睡眠。

"睡眠"与"清醒"相辅相成。

无论是对于工作还是学习来说，大脑、神经、身体都状态极佳的高质量睡眠，会让一整天的效率得以提高。反之，如果只是一味地追求睡眠的"量"，没完没了地睡觉的话，身体状况就会变得紊乱。

同时，如果白天状态好，工作上想要有所成绩，那么需要大脑和身体高强度的运转。这样的一天结束后，也非常需要一个有效的"保养型"睡眠。

睡觉时，我们的大脑和身体依然在以不同的方式运转着。为了早上起床时能有一个最好的状态，在睡眠的过程中，大脑和身体中的自律神经、脑内化学物质以及激素等，都在不停地工作着。

睡眠期间，保持大脑和身体都处于最佳的状态，彻底提高睡眠的质量，从而实现"最强的清醒状态"。这才是本书所说的"最佳睡眠"。

斯坦福大学的睡眠法则

"睡眠的质量"直接关系到"清醒时的质量"。

看看斯坦福大学的学生和研究人员、商务人士以及我做顾问协助的专业运动员，就会发现有成就的人都非常重视睡眠的质量。

那么，在实际生活中，怎样做才能拥有一个高质量的睡眠呢？

其关键就是本书将要介绍的黄金90分钟法则。

睡眠质量是由睡眠初期的90分钟决定的，而不是取决于REM睡眠、非REM睡眠的周期。

只要"最初90分钟"的睡眠质量得到了保证，剩余时间的睡眠质量也会相应变得更好。

相反，如果在最初的睡眠阶段就不顺利的话，无论睡多久，自律神经都会失调，而支持白天活动的激素的分泌也会变得紊乱。

可以说，即便忙到没有时间，只要能在"最初90分钟"里有一个良好的深度睡眠，就能够实现最佳睡眠。

1987年我来到美国，就职于斯坦福大学睡眠研究所，后来于2005年担任其主要基础研究机构——SCN研究所的所长，每天都绞尽脑汁地进行着相关研究，旨在解决与睡眠相关的疑问。

为解开睡眠之谜，我专心致力于各种研究，例如以患者为对象的临床实验、弄清睡眠障碍的机制原理、开发新药品的动物实验、获志愿实验者支持的睡眠生理实验、新的睡眠检测设备的研发等。

一直以来，我都坚持"解开睡眠之谜，给社会一个真相"这一原则，不断研究睡眠问题。

虽然我是睡眠医学方面的专家，但本书并不是难以理解的专业书籍。这本书更重视实用性和速效性，所介绍的内容也都通俗易懂，旨在为你的睡眠提供帮助。

有一点想与各位读者约定好，那就是本书中不会写毫无根据的内容。

我会不拘泥于引用经典医学知识，尽可能浅显易懂地给各位介绍最新的科学发现，以及斯坦福大学最前沿的研究成果。

这便是作为SCN研究所所长，同时也是日本人的我的职责所在。

睡眠既是伙伴，也是敌人

接下来，我们就开始"睡眠知识之旅"吧。具体行程如下：

本书从第1章开始。在这一章中会就睡眠时间和睡眠质量进行详细的阐述，揭开不为人知的、与睡眠相关的新事实。这些事实对于实现最佳睡眠来说，是不可或缺的。

第1章的内容就是基于"重新审视固有概念，以零基础再一次直面睡眠"这一想法写成的。

第2章，主要介绍实现优质睡眠的基础睡眠知识。在这一章，还会谈谈"做梦"这一不可思议的现象。

第3章，会通过数据验证为何90分钟就能一决胜负。

到第4章，终于轮到介绍实现"最佳90分钟"的方法了。其中的关键词有3个：体温、大脑、开关。

而第5章介绍的是通过适当安排早起至晚睡这一期间的活动，养成一个好的生活习惯，从而提升睡眠质量的方法。

最后，第6章介绍的则是对抗困意的妙招。

睡眠既是最好的伙伴，也是最可怕的敌人。

这是我通过多年研究得出的体会。

在1天的24个小时中，睡眠占据了大部分的时间，它究竟是敌是友，这将给我们的人生带来极大的变化——在我治疗过的数量庞大的睡眠问题的病例中，曾多次切身体会到这一点。

包括工作在内的日间表现，也会影响到睡眠的质量。

人生的1/3时间是在黑夜中度过的，但是它却直接决定着余下的2/3。

本书凝聚了我与睡眠问题斗争的30年中所积累的经验、学识及查明的事实。

由衷地希望通过本书，让睡眠成为你最好的伙伴。

斯坦福大学医学部精神科教授

SCN研究所所长　西野精治

目　录

第1章　睡得多不等于睡得好

第4章 斯坦福高效睡眠法

第5章　斯坦福终极清醒战略

第6章　能控制睡意的人，也能掌控自己的人生

第 1 章

睡得多不等于睡得好

你陷入"睡眠负债地狱"了吗？

"睡眠负债"：在不知不觉间堆积

"今天有点儿没睡够。"

"最近，有些睡眠不足呢。"

我想你也这样与他人交谈过吧。这样说话的语气，给人的感觉就是"只是有一点睡眠不足，但并不是什么大问题"。

可是，在我们这些从事睡眠医学研究的人看来，这种睡眠时间不足的情况，不应该叫作睡眠不足，而应称为"睡眠负债"。就像欠债一样，睡眠不足一旦堆积，人们就会无力偿还、债台高筑，最终大脑和身体都会不受控制，导致睡眠的自行"破产"。

在这里，请各位把睡眠假想成钱。

"还差1万日元"——这是很快就可以解决的事情，所以感觉并不是什么大问题。

但如果是负债1万日元的话，负债总额就会不断增加，因为欠债都是要算利息的嘛。

总之，所谓的睡眠负债是睡眠时间不足引起的，其中涉及很多难以解决的消极因素。

如果要解释的话，睡眠负债就是在不知不觉间堆积起来的睡眠"欠款"。

这些危险因素在自己还没有意识到的时候堆积起来，就会给身体带来损害。最可怕的是，很多人对此还很漠不关心。

大脑休眠：比酒驾更危险的事

众所周知，饮酒或服药后驾驶车辆是非常危险的。

而有睡眠负债问题的人，其行为也同样很危险。可是法律中并没有相关的规定，同时其本人也没有认识到其危险性，所以这样来看，或许比饮酒驾驶的危险程度更高。

睡眠负债问题会给白天的表现带来消极的影响。

乍一看，好像正常清醒着的人，但其全部的身体机能有极大可能并没有在正常运转。

美国的学术杂志Sleep，曾发表了关于睡眠负债的有趣的实验结果。

这个实验从医院的内科等需要值夜班的科室与放射科、内分泌科等无须值夜班的科室中，一共选取了20名医生作为实验对象，对比他们第二天清醒时的状况。

实验的具体方法就是，让他们观看5分钟的显示屏画面，其中会随机出现约90次的圆形，每当圆形出现的时候就按下按钮。这是一个谁都会的简单操作，所以很容易让人无聊到犯困。

实验结果相当惊人。

前一天有正常睡眠的放射科和内分泌科的医生们，都能对图形做出正确的反应。

图1 值夜班的医生大脑如此不灵活！

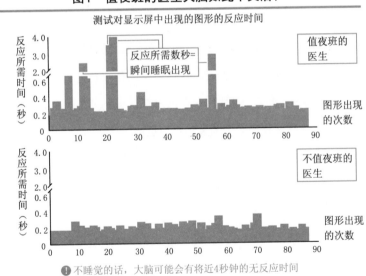

❶ 不睡觉的话，大脑可能会将近4秒钟的无反应时间

而值过夜班的内科医生，在图形出现约90次的过程中，出现

了三四次在数秒内对图形毫无反应的情况。没有反应的时候，医生们竟然睡着了。

更可怕的是，这些值过夜班的医生，当时还正处于工作的状态。

值过夜班的医生们所呈现的状态，被称为瞬间睡眠，可以通过其脑电波来进行确认。瞬间睡眠指1秒到10秒的睡眠状态，它是保护大脑的一种防御反应。

总之，已经导致出现防御反应的睡眠负债对大脑是不利的。

睡眠负债导致的瞬间睡眠的一大问题就在于，因为时间只有仅仅几秒钟，所以当事者本人和周围的人都很难注意到。

例如，嗜睡症中常见的发作性嗜睡就是突然睡着，患者多少都会对此有"这种情况下容易发作"的自我认知，所以会注意定期到医院检查。

但是，由于睡眠负债导致的瞬间睡眠并没有任何的征兆，也没有药物治疗的方法。所以，人们往往误以为只是睡眠不足，并不是什么大问题。

●如果在开车的时候，出现了瞬间睡眠，怎么办？

●如果一个人海钓的时候，出现了瞬间睡眠，怎么办？

●如果在和客户进行重要洽谈时，出现了瞬间睡眠，又怎么办？

对于有睡眠负债的人来说，这些假设往往就会变成现实。

有睡眠问题的人带上测量脑电波的装置，进行模拟兜风的驾车实验，脑电波中也出现了3~4秒清晰的睡眠波形。从外表看不出来，本人也没有意识到，但事实上，这时却已完全进入到了睡眠状态。

虽然说只维持了数秒钟的时间，但假如在时速60千米的情况下，有4秒分神的话，车辆就已经飘行了近70米呢。

日本：世界睡眠偏差值最低的国家

有数据显示，在日本有睡眠不足综合征这种睡眠负债问题的人，要比其他国家多。当然睡眠时间也存在个体的差异，但是，通过对数千人的统计分析，可以清楚地了解睡眠时间的分布。当然，也有一些统计（如本书后面要介绍的）会涉及多达100万人。

● 法国人的平均睡眠时间为8.7小时。

● 美国人的平均睡眠时间为7.5小时。

● 日本人的平均睡眠时间为6.5小时。

虽说日本人的平均睡眠时间很短，但其实只要能达到这个时长，也还是不错的。但是，据说有40%的日本人睡眠时间还不足6个小时。在美国，不足6个小时的睡眠，就被认定是短时间睡眠。

据密歇根大学于2016年进行的网络调查显示，日本人的睡眠时间在100个国家中排在最后。

睡眠状态有个体差异。在日本，也存在上班族在通勤电车上睡觉的独特现象。所以，我认为日本人的睡眠时间不足6个小时也没问题——这一看法也是站得住脚的。

但是，据我们的调查，睡眠不足6个小时的日本人，实际上也很希望睡眠时间能达到7.2个小时。而"希望的睡眠时间"和"实际的睡眠时间"的差距比其他国家大，也是实际存在的情况。

据NHK的调查显示，人们的睡眠时间在逐年变短，熬夜的人

图2 东京的睡眠偏差值最低！

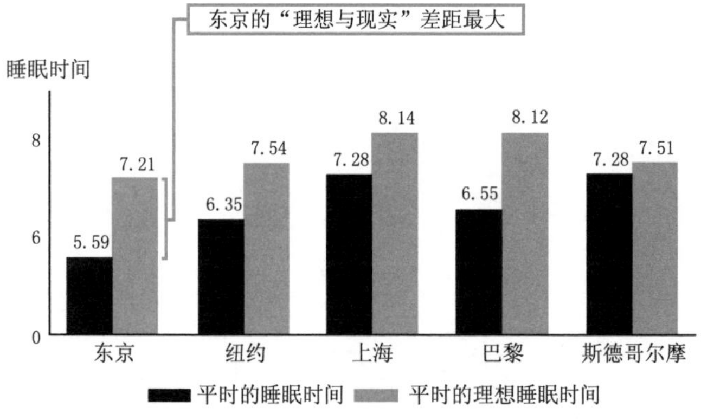

东京的"理想与现实"差距最大

睡眠时间

	东京	纽约	上海	巴黎	斯德哥尔摩
平时的睡眠时间	5.59	6.35	7.28	6.55	7.28
平时的理想睡眠时间	7.21	7.54	8.14	8.12	7.51

■ 平时的睡眠时间　■ 平时的理想睡眠时间

❗ 对于很多日本人来说，实际情况是没有充足的睡觉时间

也不再罕见。20世纪60年代，60%以上的人都会在晚上10点以前睡觉，但是从2000年开始，这一比例下降到了20%。

东京人的平均睡眠时间为5.59个小时，与世界其他城市相差甚远。在日本，越是住在城市里的人，睡眠时间越短。

当我每次从与斯坦福大学毗连的、悠闲舒适的帕罗奥多的住处来到东京时，都会惊讶于这座城市的灯火通明。便利店和餐馆等24小时营业的店铺，直到深夜都还有很多人光顾，而办公街区大厦的灯光也基本保持长明。

不夜城一定培养出了很多不眠之人吧。

遗传基因决定理想的睡眠时间

两个月都不睡觉的动物

睡眠负债堆积的话，出现瞬间睡眠的危险就会相应增加。那么，一直不睡觉的话，又会产生怎样的后果呢？

确实，有的动物能在一定的时间段里不睡觉。

例如，帝企鹅在孵小企鹅的1~2个月时间里，基本不睡觉。

很多企鹅都有用双脚孵卵的习性。帝企鹅生活在零下60℃的南极。如果将企鹅蛋直接放置于户外的话会导致小宝宝死亡，因为它们并没有自己的窝。

在用双脚护住企鹅蛋的时候，企鹅只需要吃一点雪，基本保持不动地站立着。它们在暴风雪中，不吃、不睡也不动，真的是非同一般啊。

顺便说下，这样做的只有雄性帝企鹅。雌性帝企鹅在产卵之后就会将蛋托付给雄企鹅，然后马上去海边觅食。而同为企鹅的阿德利企鹅则会在夏天建窝，孵卵工作由夫妻轮流完成。王企鹅和帽带企鹅也是夫妻共同孵卵。

帝企鹅不眠不休，其实是类似于既醒着也睡着的状态。它们极力控制能量的消耗，专注维持自己和企鹅蛋的生命。

其实，生活在非洲的水牛种群中，也有一种牛在发情期时可以做到好几周都不睡觉。无论是企鹅还是水牛，它们不睡觉的时间都不会是一整年，而不睡觉也不是它们自己做出的决定，只是受到了物种生活习性的控制而已。

人不睡觉的话，会怎样呢？

人类又会怎样呢？能有意识地让自己不睡觉吗？

对此，德门特教授做了相关且有趣的实验记录。1965年，当地报纸报道了美国高中男生挑战吉尼斯不眠纪录的新闻。为了研究，德门特教授提出了同步观察的申请。

通过阅读实验记录，我发现教授在该学生挑战的过程中，做了各种各样的努力让他不要睡着。比如，在他特别困的时候，摇晃他或是和他说话，最后还让他打起了篮球。

结果显示，虽然有数秒的瞬间睡眠，但是这个高中男生竟然真的连续11天没有睡觉。在此之前，吉尼斯纪录的测定方法虽然有可疑之处，但是德门特教授是通过脑电波仪来进行监测的，所以作为不眠的记录是没有问题的。

从教授的详细记录中可以了解到，越到后半程挑战难度越大，那时这个高中男生已经口齿不清，语言表达错误也明显增加，并且会因为小事而焦躁不安。另外，还出现了幻听和被害妄想症，特别困的时候连简单的加法都会算错。

不过，不困的时候情况基本还是不错的。在篮球比赛中取得了胜利，而且，实验结束后的第二天，他睡了14个小时40分钟后就醒来了。

但是，这绝不能证明人类可以11天不用睡觉。自古以来，就有在疑犯快要睡着的时候泼水或是进行人身伤害这样不让人睡觉的刑讯手段，也常有被拷问的人出现幻觉、妄想，精神出现异常的事件。

那么，为什么美国的这个高中生可以不睡觉呢？

我们当然可以说这是个人体质方面的原因，但又无法科学地解释清楚具体是怎样的一种体质。20世纪50年代诞生的新学科——睡眠医学中，还存在着很多像这样的未知领域。

短时间睡眠也受遗传基因影响

虽然很多日本人都有睡眠负债的问题，但不可否认的是，也有例外存在。生意人、艺人、政治家等很多充满活力的人，虽说不至于不睡觉，但他们的睡眠时间确实是很短的。

在斯坦福大学也有"不睡觉完全没问题"的教授。当给他安装脑电波检测仪和活动检测仪后，发现他真的每天只睡4个小时。即便如此，他的身体却很健康，没给他的研究工作带来任何的影响。原以为他只是在繁忙的工作日才这样，但其实周末也只睡4个小时。这已然成为了他的生活规律。

在研究短时间睡眠的过程中，我曾经调研过一对美国父子，他们在数十年里，每天的睡眠时间都不足6个小时，却依然很健康。

调查发现，他们的遗传基因中与生物规律（人体内所具备的规律）相关的时间遗传基因发生了变异。于是，通过培养一只与这对父子拥有同样的时间遗传基因的老鼠，观察其睡眠模式后发现，它的睡眠时间果真也很短。

一般来说，无论是老鼠还是人，总是不睡觉的话，"睡眠负债"就会不断积压，这将导致之后的极深度睡眠的时间有所增加。

你也有过熬夜之后，酣睡到敲都敲不醒的经历吧？这种短时间睡眠之后，深度睡眠来袭的睡眠模式，被称为反弹式睡眠。但是，时间遗传基因发生变异的老鼠，在长时间不睡觉之后，深度睡眠的时间并没增加。真是一只不睡觉也没问题的老鼠啊。

有遗传性变异的动物，对于睡觉的欲望变得低下，完全能适应短时间的睡眠。

由此，我得出了"短时间睡眠是遗传所致"这一结论，并于2009年发表在了学术杂志Science上。

说起短时间睡眠，人们常常会想到活跃于法国大革命时期的皇帝拿破仑·波拿巴。据说，他每天只睡3个小时左右。

前文提到的企鹅叫帝企鹅，似乎名字里带有"皇帝"的意思，就真的不会有睡眠不足的问题。其实，我们可以学习拿破仑想成就一番伟业的精神，但如果连他的睡眠模式也模仿的话，那就很容易让自己身心俱疲了。

所谓龙生龙、凤生凤，短时间睡眠的人其实也是受到了遗传基因的影响。

需要养精蓄锐：大脑发出的SOS信号

你的父母、兄弟、姐妹睡眠怎么样？他们也是睡眠时间很短却充满活力的人吗？

你自己是否每天只需睡4~5个小时就能健康地生活，大脑清醒并且反应敏捷？

如果是的话，那就没必要勉强自己睡很长时间了，因为你极有可能携带了短时间睡眠的遗传基因。

但是，如果你总因睡眠时间很短而感到痛苦的话，这就意味着你并不是那种可以只睡很短时间的人。"啊，每天都睡不够，周末得好好养精蓄锐咯"——这就是大脑在发出SOS的求救信号。你体内的睡眠负债，也许正像滚雪球似的越来越大呢。

绝大多数人都没有短时间睡眠的遗传基因，如果将"成为可以只睡很短时间的人"作为目标的话，那将是极其错误的。坊间所提倡的短时间睡眠等方法，其实既没有科学依据，又有害健康，同时还会导致效率低下，可以说危害性极大。

世界上有像尤塞恩·博尔特这样用9秒58就能跑100米的人。但是，如果因此就深信"同样为人，打破10秒不是梦"的话，那就太欠斟酌了。睡眠也一样，模仿有特殊遗传基因的人，没有任何的意义。

睡眠负债会缩短寿命

睡眠负债会给大脑和身体带来损害。

2002年，在美国癌症协会的协助下，圣地亚哥大学的丹尼尔·克里普克（Daniel F. Kripke）等人进行了一项100万人规模的调查，结果显示，美国人的平均睡眠时间为7.5小时。

6年后又对这100万人进行了跟踪调查，结果显示，睡眠时间接近平均值7个小时的人，其死亡率是最低的。以他们的睡眠时间为基准，比此时间短的人和长的人，其死亡率都要高出1.3倍。

"违背遗传因素，强迫自己短时间睡眠。"

"认为应该保持充足的睡眠，于是睡很久。"

如果上述情况在你身上也发生过的话，那就需要注意了，因为这样做或许会给你的健康带来损害。

关于睡眠和寿命，还有如下的一项调查结果。

通过药物让果蝇的遗传基因突发变异，然后观察其行为和睡眠，发现睡眠时间短的果蝇，其寿命也很短。

与生命周期只有60天的果蝇不同，要在人类约80年的寿命中，调查清楚睡眠时间和寿命的关系，则需要花费大量的时间和金钱。而且，无论是在肉体方面还是在环境方面，决定人类寿命的因素都远比果蝇的复杂。

因此，要收集同样的数据是很困难的，但是，我认为从整体趋势来看，依然可以说睡眠时间短的人，其寿命也很短。

不睡觉的女性会越来越胖

圣地亚哥大学的调查报告指出：睡眠时间短的女性，其肥胖度BMI值（身体指数）也较高，即属于肥胖体形。这与《格林童话》中的《睡美人》里所描写的一样。

图3　不睡如此易胖！

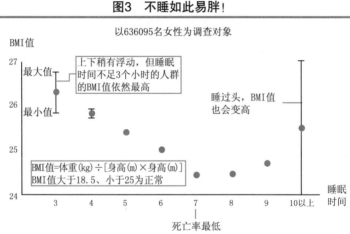

以636095名女性为调查对象

BMI值

27

最大值 ┐
　　　　上下稍有浮动，但睡眠
　　　　时间不足3个小时的人群
最小值 ┘　的BMI值依然最高

睡过头，BMI值
也会变高

26

BMI值=体重(kg)÷[身高(m)×身高(m)]
BMI值大于18.5、小于25为正常

25

睡眠
时间

24

　3　　4　　5　　6　　7　　8　　9　　10以上

死亡率最低

● 对减肥和健康来说，不睡或是睡过头会产生反作用

斯坦福大学、名古屋大学以及最近的上海交通大学所做的关于死亡率和体重增加的研究结果，都与圣地亚哥大学的调查结果一样，所以这绝非偶然。

自2002年圣地亚哥大学发布研究结果以来，不仅是睡眠研究学者，包括内科医生在内，也都重新认识到了睡眠的重要性，并对此进行了各种调查。

于是，接连出现了"对睡眠加以限制的话，会产生严重的后果"这样内容的报告。

- 不睡觉的话，会导致胰岛素分泌紊乱，血糖值升高，诱发糖尿病。
- 不睡觉的话，会导致控制饮食过量的瘦素停止分泌，引起肥胖。
- 不睡觉的话，会导致增加食欲的胃饥饿素分泌，引发肥胖。
- 不睡觉的话，会导致交感神经长期处于紧张状态，引起高血压。
- 不睡觉的话，会导致精神方面的疾病的发病率上升。同时，还会导致酒精依赖、药物依赖等情况的产生。

你也有过半夜不睡，吃很多的经历吧？那就是激素导致的，通过前面的介绍我们能清楚地知道，睡眠时间短与肥胖、糖尿病、高血压等生活习惯类疾病的发生有直接的关系。

通过SCN研究所的藤木通弘（现就职于产业医科大学）的实验可以看出，睡眠受到限制的老鼠更容易患阿尔茨海默症。其他关于人类的实验，也有报告显示存在睡眠负债或是睡眠质量低下的人，有易患痴呆症的可能。

日本国立精神神经医疗研究中心的研究团队在其研究报告中也透露了这样一个信息：一天午休时间超过1个小时，会加大患痴呆症的风险。同时，东京大学的研究团队在欧洲糖尿病学术会上也表示，一天午休时间超过1个小时，会加大患糖尿病的风险。

这样看来，"不睡觉"或是"睡过头"都不是好事。

偿还睡眠负债后会怎样？

睡眠负债会带来很多的伤害，但是反过来看，如果能偿还这些"负债"，表现水平就会发生戏剧性的提升。

德门特教授将斯坦福大学的男篮选手作为实验对象，进行了有趣的、深入的研究。他让10名选手在40天时间里，每晚都睡10个小时，然后调查这会给白天的运动表现带来怎样的影响。

具体做法就是，记录他们每天在球馆内80米往返跑的时间以及罚球的命中率。

刚开始的几天，运动员们的表现并不会发生明显的戏剧性变化。

斯坦福大学篮球队的选手虽然还是学生，但其已经达到了半职业运动员的水平。他们80米往返跑的时间平均为16.2秒，平均的罚球命中率则为10罚8中，而3分球命中率为15投10中。原以为这些选手已经能力很强、出类拔萃了，所以很难再有更大的变化。

但是，过了2周、3周、4周以后，80米往返跑的时间竟然缩短了0.7秒，罚球命中率也提高了0.9个，而3分球命中率则提高了1.4个。选手们也切身感受到了"状态很好""比赛进展顺利"。那么，究竟发生了什么事情呢？

选手们晚上参加实验，白天进行严格的训练。也就是说，水平的提升也可能与睡眠无关，而是通过日常的训练得以实现的。

但是，很难想象的是原本已经高强度训练的一流选手，在不改变训练方法的情况下，突然某天全员的水平都提升了。

前面谈到值夜班医生的实验，即每当显示屏的画面上出现圆形时便按下按钮的实验。这次让这些篮球选手也做了同样的实验。结果显示，坚持睡10个小时，反应会变得灵敏。

而且40天的实验结束后，选手们的睡眠时间不再保持10个小时，他们的运动成绩又回到了实验前的水平。

也就是说，选手们注意力、思考能力的提升以及失误的减少，都和睡眠有关。通过睡眠的确能提升运动表现的水平。

充足的睡眠仍无法让大脑满足

偿还睡眠负债绝非易事

睡眠负债带来的身心伤害是可怕的。

而一旦睡眠负债得以还清后，个人的表现就会变得很棒。

关于这两点，我已经做了深入的介绍。

但是，我并不打算以"所以请好好睡觉"这样的建议来作为结尾。

因为，大家所面对的实际问题是，每天连睡上7个小时都很难。也正因为如此，你才会看这本书吧。接下来，就把讨论的重心转移到如何一边向工作、生活妥协，一边消除睡眠负债上来吧。

作为快速解决的对策，会有人说周末养精蓄锐，可以解决平时睡眠不足的问题，所以不要紧。但事实上，这样做基本没有效果。

前面也提到希望大家把睡眠看作金钱，但也有证据表明金钱的负债可以偿还，而睡眠的负债无法偿还。

周末补觉有效吗？

为了了解睡多久可以消除睡眠不足的问题，有一项强迫10名健康人睡14个小时的实验。实验开始前，这10个人的平均睡眠时间为7.5小时。在这个实验中，参与实验者可以一整天都随心所欲，想睡多久就睡多久。

图4　连续睡14个小时会变成怎样？

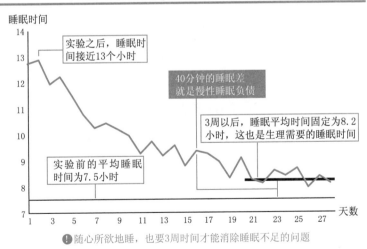

🔴 随心所欲地睡，也要3周时间才能消除睡眠不足的问题

第一天大家都睡了13个小时，第二天也接近13个小时。但是，之后就很难睡较长的时间了，睡眠时间渐渐变短，甚至在床上躺五六个小时也睡不着。

结果，3周以后平均睡眠时间固定为8.2小时。这也可以看作是这10个人的生理必要睡眠时间。

但这个实验的要点并不是要了解理想的睡眠时间。

也就是说，假如把8.2小时设定为理想的睡眠时间，那么平均睡眠时间只有7.5小时的这些人，在很长的一段时间里，每天都担负着40分钟的睡眠负债。

而恢复到正常的8.2小时，花了他们3周的时间。也就是说，要偿还40分钟的睡眠负债，必须连续3周每天睡14个小时才行。而这是极其不现实的。

从现实角度来看，想用一两天的时间改善平时睡眠不足的问题是很难的。

刚刚介绍的篮球选手的实验也印证了这一点。

因为他们是运动选手，所以要花大量的时间在训练和比赛上。同时，他们又是大学生，还需要学习或是和朋友一起娱乐、约会。想做的事情太多，而一天只有24个小时，当然会产生睡眠负债。

而为什么在三四周之后，表现才有所提升呢？那一定是因为要还清实验前的睡眠负债，需要花相应的时间。

周末的养精蓄锐并不能解决睡眠负债问题。

因为，即使被告知"随心所欲地睡吧"也可能会睡不着，而且，睡眠本身就不是能储存的东西。

归根结底，通过时间来管理睡眠问题很困难。

仅仅偿还40分钟的睡眠负债，就需要在3周的时间里每天都睡14个小时，这是不现实的。而且，只要不是稀有遗传基因的携带者，都很难忍受短时间的睡眠。

因此，如何提高睡眠的质量就显得尤为重要。

黄金90分钟：培养最强大脑和体魄

不得不重视的睡眠保养

"睡眠（睡着的时间）"和"清醒（起床的时间）"二者本就是一体的。

我是这样认为的，没有一个良好的睡眠就不可能有最佳的清醒状态，而最佳的清醒状态也能让人拥有良好的睡眠。

以斯坦福大学为代表的研究学者以及日本、美国的生意人，他们这些很有成就的人都有很强的睡眠意识。他们都已经开始注重睡眠保养了。

注意饮食、锻炼身体，以此来养生，这已经成为了商务人士的普遍认识。

而全球的精英、运动员也同样很重视睡眠的作用。

只有睡眠这个良好基础，才能提高饮食和训练的效果。

这些人都能迅速获得最前沿的信息。如果认为能从中获益，就会比任何人抢先一步接受和采纳。

用商业交易方面的用语来解释的话，我们这样的专业人士就是提出最新知识的创新者，而这些人就是早期的适应者（初期使用者）。随着睡眠医学研究的发展，获得最新信息的这些人，可以马上明白"睡眠决定着清醒时大脑和身体的行为"。

一般来说，初期使用者占到全体的13.5%。继初期使用者之后，是前期追随者，这占到了全体的34%。所以，希望你能以"成为前期追随者"为自己的成长目标。

不久之前，还依然盛行着"睡眠=休息"这种陈旧的解释。因此，至今仍然有人是"不休息也没关系"的硬干派。恐怕这样的人并不愿意听别人解释睡眠是何等重要。

一味拘泥于现状的落后者（占全体的14%），直译过来是指慢性子的人，他们对于时代的变迁毫无兴趣，对于新事物持怀疑和否定的态度，非常保守。在社会上，确实存在着一定数量的这种人。

但至少请你不要成为其中的一员。

最初的90分钟

当然，优秀的人都很忙，很难确保睡眠的时间。

因此，我想提出的是追求"最大限度提高睡眠质量"的方法。

从入睡到醒来，人并非一直保持同一状态。睡眠的类型，包括REM睡眠（大脑已经清醒，但身体还处于熟睡的一种状态）和非REM睡眠（大脑和身体都处于沉睡中的一种状态）两种。在睡觉的过程中，这两种睡眠状态会交替反复出现。

图5　非REM睡眠与REM睡眠的交替反复

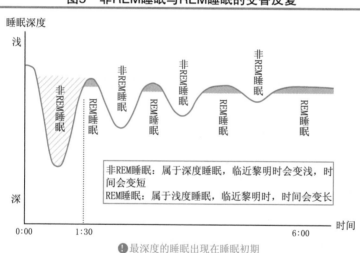

❶ 最深度的睡眠出现在睡眠初期

入睡之后，马上迎来的就是非REM睡眠。

特别是最初90分钟的非REM睡眠，可以说是睡眠的全过程中最深度的睡眠。在这个阶段是很难叫醒一个人的，即便勉强叫醒，他的大脑也处于混沌的状态。

通过对脑电波的监测可以发现，这一阶段会出现"大幅度且运动徐缓的波形",表明大脑处于非活跃的状态,因此这也被称为徐波睡眠。

入睡约90分钟后会出现第一次REM睡眠。这时,眼球会在眼皮下快速转动,即快速眼球运动,这种情况下会做(较为实际的)梦。虽然在REM睡眠的状态下人依然没有意识,但很容易醒过来。顺便说一下,"REM"其实就是"快速眼球运动"英文首字母的缩写。

从通常的睡眠模式来看,黎明之前,REM睡眠和非REM睡眠会反复出现四五次,而且当黎明来临时,REM睡眠的时间会变长。天亮后,在浅且长的REM睡眠中醒来,是一种自然的状态。

入睡后不久的非REM睡眠是最深的,但随着黎明的到来,这种睡眠状态会逐渐变浅,而且持续的时间也会逐渐变短。

在睡眠保养方面的关键,就是如何加深最初的非REM睡眠。

这时如果能保持深度睡眠的话,之后的睡眠也会变得很有规律,而自律神经与激素的分泌都将保持良好的状态,第二天的表现也会有所提高。

总之,入睡后不久出现的最深度睡眠的90分钟,是实现最佳睡眠的关键所在。

进入睡眠的"最强激素"

最初的90分钟被认为是睡眠的黄金时刻，因为其确实非常宝贵。

例如，生长激素分泌最旺盛的时候，就是第一个非REM睡眠出现的时候。如果最深的非REM睡眠质量不佳或是受到外界干扰的话，就会导致生长激素无法正常分泌。

"生长激素"正如其名一样，关系到孩子的生长。不仅如此，它还在促进成人的细胞生长和正常的新陈代谢方面发挥着重要作用，据说还有助于抗衰老。

另外，还需明白的一点就是，如果长时间不睡觉的话，"想睡"这样的睡眠欲望（睡眠压力）就会增加，而最初的非REM睡眠则可以让这些睡眠压力得到有效的释放。

如果能提高黄金90分钟的睡眠质量，就能迎来一个清爽的早晨，还能避免白天产生睡意，甚至不会再出现明明睡得很好却依然感觉疲劳的情况。

在第3章中会详细介绍，即便只能睡4个小时，只要能保证最初90分钟的睡眠质量，就能最大限度地提升这4个小时的睡眠质量。

图6 在最初的非REM睡眠时被打扰，就无法继续后续睡眠！

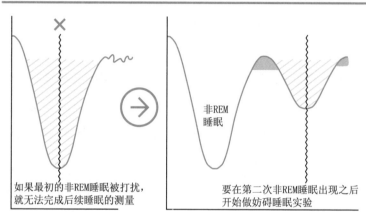

如果最初的非REM睡眠被打扰，就无法完成后续睡眠的测量

非REM睡眠

要在第二次非REM睡眠出现之后开始做妨碍睡眠实验

❗睡眠可谓"有良好的开始，才会有良好的整体"

反过来说，如果睡觉的时间十分有限的话，就务必要保证这90分钟的睡眠质量。

如果黄金90分钟的睡眠质量得不到保证的话，不要说睡眠了，就连第二天的表现都会变得糟糕透顶。为了了解睡眠的作用，我们做过一个"对非REM睡眠进行阻碍"的睡眠实验，如果在最初90分钟里阻碍睡眠的话，后续睡眠就会紊乱到无法测量，实验也无法继续。因此，很多实验会选择在进入第二个周期后，才开始实施阻碍睡眠（所以，不建议叫醒刚睡着的人）。

由此可见，这90分钟是睡眠不可或缺的、最重要的基础。

"Better than nothing" 法则

有一点想事先说明，如果你是普通人（即不是那种睡很短时间也没问题的人），那么最好每天至少睡6个小时以上。前面也说过，希望大家不要拘泥于睡眠时间的长短，但是如果能确保6个小时的睡眠时间，这也是睡眠学家喜闻乐见的。

尽管如此，本书的目的就是为难以实现最佳睡眠的你提供更好的方法。所谓的"Better than nothing"，就是指"比什么都不做要好"。但我们这里所说的"好"有更大的意义。因为我深信，本书中提出的更好的睡眠，甚至可以让你的人生发生质的改变。

而且，要把握住支撑更好睡眠的黄金90分钟，有两个关键点不可忽视，即体温和大脑。我会在第4章中就这一点进行详细说明。

睡太久并不能提高你白天的表现。

反过来说，哪怕不能如愿增加自己的睡眠时间，通过改变睡眠的方式，也可以提高睡眠质量，让自己以一种良好的状态起床。不仅如此，还能增加工作的动力。

那么，优质的睡眠具体会给起床后的我们带来怎样的影响呢？睡眠究竟蕴含着怎样的力量呢？

　　接下来，就为大家揭开睡眠中所隐藏的力量。我们一起迈开脚步，去解开睡眠状态之谜吧。

第2章

为什么人生1/3的时间都在睡觉?

不可忽视的睡眠共性

运动员的睡眠方式

针对参加索契冬奥会的100名日本运动员，我曾分析过他们在卧具方面的喜好。这项工作的前期调查是由卧具制造商——Airweave①公司进行的，之后委托我进行了相关的数据分析。这家公司因生产备受运动员喜爱的高弹性床垫而闻名。

事实上，不同竞技项目的选手，其钟爱的床垫也有着明显的差异。

例如，雪橇运动员就喜欢较硬的，而花样滑冰的运动员则更喜欢较为柔软的床垫。其实，除了运动员以外的普通人也一样，越是体重偏重、身材健壮的人越会选择较硬的床垫。

因运动表现方式截然不同，个头大且肌肉结实的雪橇运动员和身材纤细、身段柔美的花样滑冰运动员，在睡眠方式上的喜好也有着天壤之别。

①爱维福，日本床垫厂商。——译者注

图7 "喜欢怎样的床垫"会因体重不同而不同吗？

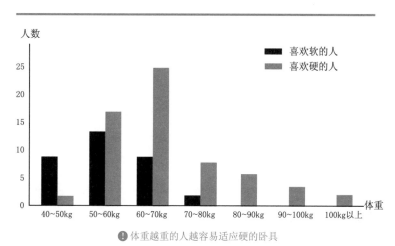

ⓘ 体重越重的人越容易适应硬的卧具

更为有趣的是，我还对正式比赛的选手和替补参赛的选手进行过一个比较。

很明显的是，比起替补选手来，正式选手在"睡"这件事上更加讲究。

优秀的运动员对卧具、明亮度、室温、睡眠环境等，都有明确的个人喜好。

他们清楚地知道为了在比赛中有最好的表现，甚至刷新纪录，仅依靠起床后的训练和饮食是不够的。因此，他们对睡眠也很敏感，会摸索出一套适合自己的最佳睡眠条件。

对胜负有着执念的优秀运动员，在睡眠方面如此挑剔，我感觉商务人士也同样如此。

逃离垃圾睡眠

作为睡眠方面的专业人士，我曾经给职业网球选手、棒球大联盟选手、相扑选手等提过建议，也给全球的精英介绍过睡眠的知识。

这些超一流的人，虽然他们的职业、人种、年龄、性格各不相同，但还是能看出他们有很多的共同点。

①超一流的人都在自己的领域取得了一定成就。

②超一流的人对自己的专业领域之外的东西也有很深的认识。

③超一流的人抓住了推进事物顺利发展的秘诀和关键。

④超一流的人具有卓绝的行动力。

⑤超一流的人能将正确的信息收集与理解能力当作自己的武器。

超一流的人通过不断努力并获得成功的过程来磨炼自己的人格。常常会有人跟我说："多亏了老师的建议，才让我的睡眠质量得以改善。"这种话虽然听着让人高兴，但事实却并非如此。

单单接受某人的建议，并不能改变一个人。

关键在于还要有⑤里面所提到的"正确的信息收集与理解能力"。

超一流的人身边总是聚满了很多人，能听到各种各样的观点，但他们绝不会被海量的信息所左右。

他们具备正确的信息收集能力，能够从满是"垃圾"的信息海洋中，甄选出自己真正需要的信息。所以，超一流的人才能够找到通向成功的捷径，并在短时间里做出成绩。

那么，为了摆脱垃圾睡眠，这里首先想说一说什么才是睡眠的本质。

促进睡眠的认知行为疗法

知识也会导致严重的睡眠障碍。

据说，在日本和美国，有20%~30%的人患有慢性失眠症，他们通常会选用安眠药来治疗失眠症。虽然现在也有副作用小的药物，但依然需要长期使用，而且患者也会产生药物依赖的问题。这直接导致的结果就是，服用剂量逐渐增加，一旦停药就无法入睡。

尽管如此，失眠症的治疗也带有很明显的安慰剂（伪药）效应。也就是说，医生将小麦粉制成的药片放入药方中，并告诉患者这是强效睡眠药，结果患者真的可以轻松入睡。

总而言之，睡眠与大脑有很深的关联。这种不借助药物治疗失眠症的方法，被称为认知行为疗法。

①获取正确的知识并加深对其的理解（认知）。

②通过一些行为来提升第二天白天的行为质量和表现水平（行为）。

例如，有人认为工作压力大到无法入睡，喝点酒可以助眠，于是在睡觉前会摄入大量的酒精。这就是典型的错误认知和行为。

大量的酒精会让人的睡眠变浅，由于酒精的利尿作用和饮酒时的水分摄入，而不得不起床去卫生间，也会相应地降低睡眠的质量。

无法确保睡眠质量的人，绝对不要采用这样的睡眠方法。

所以，当你因工作压力而无法入睡时，请尝试接下来介绍的两个"开关"，来让自己实现更好的睡眠吧（将从第4章开始进行介绍）。希望你能理解本书中的正确知识，然后再采取正确的行动。当这种行动形成习惯以后，就能消除因压力而引起的失眠。

这就是所谓的睡眠认知行为疗法。

认知行为疗法的优点在于它与药物治疗不同，既不会产生依赖性，又没有副作用。停下来之后也不会发生反弹，甚至不需要花钱。

睡眠方面的临床医生也都表示，事先向患者说明过睡眠的生理知识后，再采取认知行为疗法，其效果会更好。

因此，希望各位能好好了解本章所介绍的睡眠基础知识，同时忘掉那些错误的信息，再为自己的睡眠采取行动。

重点内容会进行特别的标注，只需花15分钟就能读完。如果是你已经了解的内容，可以粗略地看看，确认一下。

睡眠的五大使命

半夜，大脑和身体发生了什么？

酣睡后的第二天清晨，你的大脑和身体是怎样的一种状态呢？

头脑清醒，很容易冒出灵感和想法。

注意力非常集中，不容易被打断，思维的精准度也有所提升。

身体状态极佳，所以能专心工作。

那么，到底什么是酣睡呢？答案就隐藏在半夜，尤其是入睡后的90分钟里。

如果半夜时的睡眠过程很顺利的话，第二天的表现就一定不会差。从长远的角度来看，其还关系到大脑、身体以及心理的健康。

当我们了解到睡眠过程中大脑和身体都发生了什么变化，就能理解"酣睡=优质睡眠"到底是怎么一回事了。

睡眠所具有的使命，主要包括以下五个。

睡眠的使命① 让大脑和身体得到休息

谈到睡眠的作用，不得不说的就是休息。虽然睡眠并不等同于休息，但这的确是其主要的作用之一。睡眠过程中，虽说身体和大脑并不是处于100%的"关机状态"，但的的确确是调整到"睡眠模式"的。

人体内自律神经的活动并不会受到主观意志的控制。它主要负责维持人的体温、心脏的跳动、呼吸、消化，以及对激素分泌、新陈代谢的调节。

众所周知，自律神经包括活跃状态下的交感神经和放松状态下的副交感神经。这两种神经24小时都处于活动的状态，并轮流占据30%的主导地位。

白天，交感神经处于优势地位。这时，体内的血糖值、血压、脉搏数会上升，肌肉和心脏活动也变得活跃，大脑处于紧张的状态，注意力也会比较集中。

当我们感到紧张或集中注意力时，由于神经细胞的活跃，其反映在脑电波上就是快速的波形变化。反之，当我们感到放松时，则会出现缓慢、散乱且平稳的脑电波，同时也会出现能消除压力的 α 波。

非REM睡眠状态下或者用餐之后，副交感神经会处于优势地位。此时，心脏的跳动以及呼吸的节奏会放缓。餐后肠胃活动变得更加活跃，这有助于消化和排泄。

所以，这两种神经都很重要。但是，商务人士的烦恼在于交感神经占据主导地位的时间过长。如果总是处于活动状态的话，身体和大脑都会感到疲惫，压力也会不断堆积。

夜晚，如果副交感神经不能顺利占据主导地位的话，人就会难以入睡，睡眠也会变浅。不久，自律神经就会失衡，体温和肠道活动等身体的基本机能就会出现异常。

睡眠初期，在出现最深非REM睡眠的黄金90分钟里，让副交感神经占据主导地位，以此来让大脑和身体得到休息，这才是最佳睡眠应完成的第一大使命。

睡眠的使命② 整理记忆，并让其扎根于脑中

关于记忆，有很多研究组织基于自己的数据提出过各自的意见，因此，目前尚未能形成一个完全统一的知识体系，但大部分研究者都认为，学习后通过睡眠能够让记忆扎根于脑中。

从几位学者的报告中可以发现，关于睡眠和记忆存在如下的主张。

- REM睡眠过程中，关于事件的记忆（在何时何地干了什么）会扎根于脑中。
- 在黄金90分钟中出现的非REM睡眠，可以帮助消除糟糕的记忆。
- 入睡初期和黎明前出现的浅度非REM睡眠，可以让我们用身体固化记忆（非主观意识的记忆）。

总之，非REM睡眠与REM睡眠会反复出现多次，并随着时间的流逝，逐渐转换到浅睡的状态。在这个过程中，记忆将被整理并固化。说到记忆，是由于输入到大脑中的信息，让我们形成了相关的意识，同时，忘掉那些不好或不重要的事情，也是很有必要的。

最近也有研究报告显示，在入睡后不久出现的最深非REM睡眠状态下，信息会从大脑的海马区转移到大脑的皮层中，而记忆也就因此被保存了下来。

由此可见，对于记忆来说，睡眠是必不可少的。

新生儿的REM睡眠时间大约占到了90%。但是，当大脑发育到成熟时期，REM睡眠时间就会减少，到13岁时，非REM睡眠的时间会达到与成人同等的水平。由此产生了一种假设，认为REM睡眠的时间与大脑的发育程度相关，但是还有许多未知之谜有待研究。

由于这也是我毕生研究的主题之一，所以，也特别希望在这方面能有更加深入和彻底的突破。

"用睡眠来提高学习的效率"这一说法，其理由就是睡眠时大脑会对记忆进行处理。但据我所知，这也是一个毫无证据的谣言。

睡眠的使命③ 调节激素的平衡

大脑会控制体内激素的平衡状态，而睡眠时很多激素的分泌都处于活动状态。激素与生活习惯类疾病有着密切的联系，所以希望大家能多多了解它们。

有研究表明，良好的睡眠可以对生活习惯类疾病起到改善的作用。

例如，之前就介绍过，睡眠受限的话，脂肪细胞所分泌的可抑制食欲的瘦素就会减少，而胃部所分泌的可增加食欲的胃饥饿素则会增加。除此之外，可以让细胞再生并激发身体机能的氨基酸等，也会出现变化。这样看来，睡眠与激素的平衡之间确实有着密不可分的关系。

尤其是生长激素，在黄金90分钟里会大量分泌。成年人正是依靠这种激素，才能让肌肉和骨骼变得强壮，保持新陈代谢的正常。

与生长激素的构造比较相近，同时与生殖、哺乳行为有关的泌乳激素，在第一次的非REM睡眠中，也会进行大量的分泌。

睡眠还有助于提高皮肤中的保水量。这是因为皮肤中的水分，主要受与睡眠紧密相关的性激素和生长激素的影响。

睡眠的使命④ 提高免疫力，远离疾病

免疫力与激素有关，同时也与睡眠有着很深的联系。

睡眠不好的话，体内的激素平衡就会被破坏，免疫力也会出现异常，这会使感冒、流感、癌症等与免疫相关的疾病的患病率随之增加。

睡眠的一大作用就是休息，所以，从免疫力的提高与休息的角度来看，多睡觉能治感冒也是合理的。

还有研究报告指出，事实上，即便注射了疫苗来预防流感，但如果睡眠紊乱的话，依然起不到免疫的作用，而接种的疫苗也就失去了效果。

另外，像风湿病等自身免疫系统的疾病，还有过敏症等，虽说大部分是由天气等各种因素导致的，其实也和免疫系统本身有很大的关系。也就是说，如果不通过睡眠来增强身体的免疫力的

话，过敏症状就会愈演愈烈。

睡眠的使命⑤ 排出大脑中的废弃物

脑组织并不是直接放在头盖骨里的。因为有脑脊液作为保护液，所以，即便摔倒时撞到头，大脑也不会直接撞到骨头上，导致脑部受伤。

被誉为"小型大脑泳池"的脑脊液，其容量大约有1500毫升。我们的身体每天会分四次替换掉其中的600毫升。有证据表明：新的脑脊液产生后，原本旧的就会被排出。这时，大脑中的废弃物也会随着一同被排出。

当我们处于清醒状态时，神经细胞也是活跃的，此时大脑中的废物会不断堆积。虽然白天清醒时也会排出堆积的废弃物，但这还远远不够。所以，晚上睡觉时，大脑会进行自身的"维护保养"工作。

如果大脑中的废弃物不能有效排出，就有可能成为患阿尔茨海默症等疾病的诱因。

我们研究所通过实验发现，携带易患阿尔茨海默症的遗传基因的老鼠，当其睡眠受到限制时，作为阿尔茨海默症诱因之一的β-淀粉样蛋白就非常容易在体内形成堆积。而这种不应堆积在大脑中的废弃物，其实通过睡眠就能被正常分解并排出。

如果使用安眠药，强制性地让这些老鼠入睡的话，β-淀粉样蛋白的沉积率就会有所下降。我们的这个研究成果发表在了 *Science* 杂志上，在人体实验项目中，也得出了关于"睡眠障碍与患阿尔茨海默症的风险"的类似数据。

当然，限制睡眠会提高原本易患"阿尔茨海默症"的人患痴呆的发病率，从这一点来说，"睡眠负债"并不是诱发痴呆的直接原因，但确实是高危致病因素。

有一点是可以明确的，那就是：大脑中的废弃物若不能顺利排出的话，不仅容易患上"阿尔茨海默症"，还会给大脑带来损伤。

睡前滴眼药水有助于恢复视力吗？

在前面提到的睡眠五大使命中，最先被提及的休息作用确实很重要。只有消除了疲劳，才能提高白天的表现水平。

如果我们一直忽视的话，会让大脑和身体处于过劳的状态。自从人类拥有了光明之后，便不再是一到夜晚就什么也做不了的生物了，甚至到了20世纪末，24小时都在工作（24 Hours ON-Time）的状态，对人们来说都很习以为常了。

因此，我们可以充分利用好睡眠的这段时间来让自己有意识地进行休息。

例如，因为使用电脑的原因，我经常会有眼疲劳的感觉。以前也曾有视力大幅下降的情况，特别是完成图表分析的工作后，甚至出现了干眼症的症状。我想很多商务人士也有着同样的困惑吧。

于是，我就经常滴眼药水。临睡前滴几滴，然后闭上眼睛，利用这段无须用眼的休息时间来让眼睛的状态得以恢复，而且这样做我自己感觉效果更好。

眼科并非是我研究的专业领域，类似眼药水这种针对病症的治疗方法，能带来一时的好转，却是治标不治本。不过，也正因为是对症疗法，所以可以与休息相结合来提高药物的疗效。

这么看来，妈妈常说吃过感冒药后好好睡一觉，也是有道理的。

不可思议的睡眠终点站——梦

多做梦比较好

除了睡眠的五大使命外，还有一个不得不提的话题，那就是梦。

为什么我们会做梦呢？

梦到底是一种什么现象呢？又起到了怎样的作用呢？

接下来，我们就一起到不可思议的"梦的世界"去看看吧。

也许大家都知道人会在REM睡眠阶段做梦吧。

的确，当我们处于REM睡眠状态下时会做梦，但也有实验研究证实非REM睡眠状态下，其实也会做梦。所以整个夜晚，我们都一直置身于"梦的世界"。

20世纪50年代，REM睡眠被发现后不久，人们了解到在REM睡眠阶段会做梦。但到了1957年，德门特教授就指出非REM睡眠状态下人也会做梦，之后有数名研究人员对此做了进一步的证实。

起床后依然记得的梦，通常是在醒来前不久所做的梦。因为，人们一般都是在浅度REM睡眠反复的过程中慢慢醒来的，所以就有了"REM睡眠=做梦"这样的认知。

但是，若尝试在深度非REM睡眠时叫醒对方，会发现那时其也在做梦。

通过对梦境的描述可以发现，REM睡眠时所做的梦，多是具有故事性的，并且接近个人真实体验的梦；而非REM睡眠时所做的梦多是抽象的，并且不太符合逻辑。

在身体处于睡眠状态，但大脑依旧在运转的REM睡眠状态下，大脑皮层是很活跃的，与清醒状态时一样。大脑中与"做梦"相关且负责管理运动区的神经细胞也变得活跃。

也就是说，因为好似亲身体验了如现实一般的梦境，所以这样的梦境是具体且合理的。

养狗养猫的人都知道，动物也会做梦。我曾花数十天的时间监测过狗睡眠时的脑电波。狗在睡觉时，好像很高兴似的经常晃动尾巴，那是因为它正处于REM睡眠状态。

非REM睡眠状态下，大脑处于休眠状态，所以此时即便做梦，大脑中的运动区也处于非活跃状态。比如，在深睡状态下突然被叫醒，人就会感觉迷迷糊糊的，思维也会出现短时间的"短路"，完全不知道自己身处何时何地，而非REM睡眠时所做的梦就很接近于这样的一种状态。

由此可见，如果起床后记得的是抽象且不太理解的梦境，那么肯定是在非REM睡眠状态下醒来的。这与人们从REM睡眠中自然醒来的状态大不相同，因此，也不排除睡眠状态发生混乱的可能性。

此外，当REM睡眠与非REM睡眠互相交替时，我们所做的梦也会发生改变。这意味着做梦的次数越多，REM睡眠和非REM睡眠之间周期交替的次数也就越多。

总之，在正常的睡眠节奏下，普通人会做七八次不同的梦。（遗憾的是，睡眠时间越充足，我们越是只记得最后一个梦……）

可以做指定的梦吗？

这里顺便说一下，为何我们只记得快醒来前所做的梦呢？醒来前的梦，其本身又具有什么样的意义呢？

我觉得，在睡醒前的REM睡眠状态下所做的梦，主要是为接下来的"起床"做准备的。

当然，这也涉及人为什么会做梦的原理。为了避免自己睡得迷糊，要定期通过REM睡眠来让大脑变活跃，让交感神经占据优势，这也是为"醒来"以及"后续白天的行为"做准备。这样看来，越临近天亮，"做合理梦"的REM睡眠时间越长，也是符合道理的。

那么，我们可以做自己想做的梦吗？

在"REM睡眠阶段会做梦"被提出后的10年间，产生了很多与之相关的重大发现（与REM睡眠相关的神经组织与机理、某某神经位于身体的某个部位等）。但事实上，仍有许多的未解之谜。

在REM睡眠被提出后不久，关于"人可以做自己喜欢的梦吗"的验证也一度很盛行。

具体包括了以下的一些研究。

●事先列举出想做的梦，再实际确认能梦到这些内容的概率。

●对着睡觉者的耳朵吹气，或是将冷水滴在他的脸上，调查声音、温度、肤感的刺激，是否会导致梦的内容发生变化，或者这些刺激是否会成为梦境的一部分。

但结论是人不可能做自己想做的梦。除了偶然巧合外，"事先的想法与梦境相一致"或者"因外部刺激导致梦境发生变化"的概率几乎为零。

其中，也有人很认真地做过一些实验，例如：在一所大学教室里，让100名学生在同一时间向一位间隔稍许距离的熟睡者讲述"梦的内容"，然后看其能否真的梦到。

也许，你会对这样的实验付之一笑，但当时参与的学生和老师可都是非常认真的。由此可见，关于"做梦"的发现，在当时产生了多么巨大的冲击力。

睡眠质量决定清醒的程度

对睡眠质量的错误认知

从梦境中醒来时，你对自己睡眠的满意度打多少分呢？

"完全睡不着，我想我是患上失眠症了。"

有很多人因为这样的理由来睡眠诊所接受诊疗，但是经过检查后发现，实际上他们是睡着过的。在日本和美国也有很多这样的案例。

医生们通常会将这种情况判断为病人自身的错误认知。患者本人认为失眠属于"量"的问题，但其实这也涉及"质"的问题，也就是明明睡了觉，但仍感觉到疲乏。这种状况也无法排除体内发生某种未知病变的可能性。

无论是因为什么，可以确定的是，患者确实无法拥有一个良好的睡眠，这使其感到很困扰。

很少有人表示对自己的睡眠感到很满意。

有70%以上的人都觉得"很难入睡""睡眠不足""睡了觉也

不解乏"。反之，只有不足30%的人会对自己的睡眠表示很满意。

对睡眠这件事，人们的普遍印象就是"不满意"，而且往往并不认为这是不幸之事。

如果能消除这种不满足感，大脑和身体的状态就会得到提高，注意力涣散、身体状态不佳等消极问题，也会随之消失。

如何了解自己的睡眠质量

那么，你是否清楚地知道该怎么做才能让自己对睡眠感到满意呢？

为了科学地测定睡眠质量的好坏，专家们会使用一种名为多导睡眠监测仪的装置，它可以监测多种生物电信号，因此可以用来同时记录人的脑电波、肌电图、眼球运动、心电图等数据。

20世纪50年代，为了监测睡眠的"深度"和"量"，人们设计出了这种多导睡眠检测仪，至今仍不断地在更新换代，现如今可多方位地监测身体各部位的活动状态。

例如，可监测肌肉松弛的REM睡眠阶段的肌电图，也可监测快速眼球运动出现时眼球的状态。此外，严重的睡眠障碍还会导致睡眠呼吸暂停综合征的频繁发生，因此，可以同时监测患者的呼吸与动脉血氧度。

多导睡眠图检查就是基于这些同步测得的数据，将睡眠过程分为四个阶段，并以30秒为一个单位，来对睡眠过程进行监测。

健康人士的睡眠模式，从某种程度上来说是较为固定的，只要睡眠的深度以及过渡方式能和平常保持一致，就可认定为是优质睡眠。

尽管如此，能准确测定睡眠"质"与"量"的设备是很有限的，同时还需花费大量的人力和时间。患者受约束的时间也过长，而且医疗机构还要配备大量的工作人员。自然检查的费用也就不菲了。

更麻烦的是检查室的睡眠环境。为了测定数据，如果全身布满软线的话，反而会导致难以入睡，可以说这样一来，很难反映出平常的睡眠状态。

由于检查的难度很大，所以在进行科学诊断前，希望大家都能充分有效地运用"自我诊断"这一最准确的检查方法。睡眠是任何人都无法共享的个体体验。

还有，不仅是睡前、睡后，同时也要关注第二天的表现，进行自我感觉方面的检查，这样才能判断是否拥有一个优质睡眠。

睡眠与每个人都有着千丝万缕的联系。"好困""还想睡"这样的感觉，都是睡眠在向你发出的求救信号。

反之，如果白天的状态良好，注意力也能保持集中的话，睡眠就像是一份来自黑夜世界的内部报告，体现出白天的工作已顺利完成。

死亡率高达40%的睡眠障碍

大部分在睡眠方面有烦恼的人，都可以借助本书中的建议来加以改善。

但也希望大家注意，关于睡眠还有很多未解的部分，同时也隐藏着许多意想不到的疾病。

日常生活中有因睡眠不足导致注意力急剧下降等明显问题的人，也可能是患有睡眠方面的障碍。因此，请务必去进行一次医疗检查。

其中，睡眠呼吸暂停综合征就是一种发病率较高且颇具危险性的睡眠障碍。

欧美人群中，体形肥胖的人很容易患上这种疾病。其中很大一个原因就是体内脂肪的压缩而导致呼吸道变小。

但是，体形瘦小的日本人也会患睡眠呼吸暂停综合征，这是由于亚洲人面部较扁平，同时下巴下凹，所以呼吸道天生就很狭窄。

打呼噜就是这种病症的危险信号。如果被家人指出呼噜声很大、呼吸时常会中断的话，那就有可能是患上睡眠呼吸暂停综合征了。

当然，有时也可能只是打呼噜，并不会出现呼吸暂停的现象。健康的人在睡眠过程中，出现呼吸暂停的现象也并不罕见，尤其是在饮酒之后，常会出现轻度的中断。对于成年人来说，每小时出现5次、每次持续10秒钟的呼吸暂停是没有关系的。

睡眠呼吸暂停综合征患者每小时则会出现15次以上呼吸暂停的现象，有的人甚至接近60次。这就等同于在睡眠过程中，每分钟都有10秒、20秒的时间脖子像被掐住了一样。这样一来，当然就无法睡觉了。

睡眠呼吸暂停综合征会造成各种各样的困扰。

●导致白天总想要小憩。

●引发肥胖、高血压、糖尿病等生活习惯类疾病。

●导致血液黏稠，易发心梗、脑梗。

●无法休息。自律神经、激素、免疫等系统无法正常工作。

●重症情况下，如果放任不管的话，40%的人8年内会死亡。

加拿大的一项调查显示，睡眠呼吸暂停综合征患者接受诊断与治疗的话，个人一年的医疗费反而能减少一半。

睡眠呼吸暂停综合征可以通过戴护齿套扩张呼吸道或安装CPAP（持续正压通气）呼吸机等方法来进行预防性治疗，一般来说病情都能很简单地获得改善。对此有所担心的人，请务必去接受相关的诊断。

目前，人们对睡眠呼吸暂停综合征的认知度越来越高，同时也普遍认为体形肥胖的中年男性容易换上这样的病。

但是，这并不局限于体形肥胖的人或上了一定年纪的人。其实，包括小孩儿在内，所有的人在任何年龄阶段，都有可能出现这种病症。此外，老年人出现心力衰竭等并发症的风险也较高，所以需多加注意。

打呼噜是牙齿的"哀鸣"吗？

前面说过，打呼噜可看作是患睡眠障碍的一种信号，但其实严格来说，打呼噜就是在用嘴呼吸，而用嘴呼吸也会导致睡眠质量下降。

哺乳类动物本来是以鼻孔呼吸为主的。曾做过一个将成年猴子的鼻孔堵住，迫使它用嘴呼吸的实验。结果，猴子的牙齿排列日益变差，最后竟导致两颗虎牙前突。

我认为这是由于鼻子被堵，为确保呼吸道的畅通，所以才导致牙齿发生了变形。由此可见，用鼻孔呼吸是多么重要。

所以，美国医生在对患者实施牙齿矫正术之前，首先都会确认其睡觉时是否有呼吸障碍的问题。

由于美国人接受牙齿矫正术较为普遍，所以这一确认的环节，也就显得很重要了。

明明睡了觉却依然犯困的人，最好在起床时有意识地用鼻子呼气、吸气。白天也要有意识地练习用鼻子呼气、吸气的腹式呼吸。在此基础上，每天睡前通过深呼吸让交感神经趋于平静，同时让副交感神经占据主导位置。当习惯了这种腹式呼吸后，睡眠过程中就不会再出现用嘴呼吸的情况，进而也就解决了打呼噜的问题。

睡眠革命

较差的睡眠质量会造成显而易见的健康损害。白天的工作效率也会急转直下。

除了那些商业天才外，对于商务人士来说，成败之间的分界线往往就只是极小的差距。所以，尽可能排除消极的影响，才是最佳的对策。

同时也希望你能了解，如果你身居要职，是一位领导的话，提高睡眠质量也是你的一种义务。因为你的个人决定会给很多人带来影响。如果因糟糕的睡眠而导致头脑迷糊、身体状况欠佳，甚至在工作中出现瞬间睡眠的话，那可就真是太荒谬了。

事实上，在美国，管理者们都十分重视睡眠。

我深切感受到重视睡眠是美国管理阶层的一大优点。

因为涉及个人隐私，所以在这里就不做详细的介绍了。某位世界著名研究学者，也有睡觉不解乏、白天昏昏沉沉的烦恼。

我听说之后，马上给他推荐了一家睡眠诊所，并帮他进行了预约。结果诊断出他患有睡眠呼吸暂停综合征。

想想这么痛苦啊！每天夜里都像被一只无形的手掐住脖子，白天还要拼命处理很多重要的工作，他的负担之大让我倍感心痛。

睡眠呼吸暂停综合征虽然是一种可怕的疾病，但也有对症的治疗方法，而且治疗效果也很不错。开始用上治疗器械后，他的睡眠质量立马得到了改善。

至今我都无法忘记，在治疗后他说的一段让人高兴的话：

"现在我才明白自己在研究方面是多么不专注。只有保证了睡眠质量，白天才不会犯困，而且效率也会出现戏剧性的提高。我的感觉就好像是做了大脑移植手术一样。"

我在这里想谈的并不仅仅局限于睡眠呼吸暂停综合征。

眼下睡眠质量不高的人，当其了解了正确的睡眠知识之后，就可以通过一些方法来改善自己的睡眠质量。这样就宛如让大脑重生了一般，思维变得清晰的同时，工作效率也会更上一个台阶。

睡眠质量的改变所带来的效果是不可估量的。那么，在了解了睡眠质量的重要性之后，就让我们接着看看左右睡眠质量的黄金90分钟吧。

第3章

黄金90分钟睡眠法则

黄金90分钟决定睡眠质量

酒精有助于睡眠？

"昨天晚上睡得好吗？"

歌剧演员下崎响子告诉我，这是他们业内常见的打招呼方式。

因为身体的状况会直接影响表演者的表现。像演员、音乐人等职业都是这样，尤其是歌手，可以说身体就是歌手的乐器。

听完她的话，让我尤为感兴趣的是，大部分歌手都有临睡前喝伏特加的习惯。

歌剧演员的演出时间一般都很长，休息时间很有限，最长的时候需要连续工作5个小时。据说落幕的时候，通常都已经是夜里10点、11点了。

演出结束后，收拾收拾立马回家，可是也无法立刻入睡。在刚刚结束的演出中，在聚光灯的照射下，在观众关注的目光中全身心地投入演唱，一直被喝彩声、欢呼声所包围着，这些都让歌手的大脑和身体处于极度兴奋的状态。所以，大口喝高度数的伏特加酒，可以让自己借着很快袭来的醉意入睡。

虽说大量的酒精会降低睡眠质量，但如果只是少量地饮用烈酒，就不必太过担心。当然，这也和每个人的体质有关，通常来说，喝过酒之后在最初的90分钟内，就能进入到沉睡的状态。

伏特加的酒精度数多为40度，其中也有接近90度的品种。相比之下，葡萄酒只有14度，而啤酒则在5度左右。相比一口一口不紧不慢地喝低度酒，一口就能让人安然入睡的烈酒反倒更好些吧。

"一定不要忽视最初的困意。明明犯困却坚持不睡，之后就很难再进入到深度睡眠的状态，而且无论睡多久都不会有一个良好的睡眠质量。"

听了我说的这些话，山崎非常惊讶道："之前还真不太了解这一点，我只是把这当作自己的一个经验。"

其实，他们都是通过身体在体会着睡眠质量给第二天的演出所带来的影响。

闭上眼就能入睡

健康的人，闭上眼不到10分钟就能入睡。其心率会渐渐变平缓，交感神经活跃度趋于低下，而副交感神经则变得活跃起来。

入睡之后，在短时间内会进入到最深层的非REM睡眠状态。此时，脑电波会呈现一个缓慢而幅度较大的波形，因此非REM睡眠也被称为"徐波睡眠"（这在前文中已经说过）。在某种程度上，通过对脑电波的观察，就可以了解睡眠质量的好坏。

这之后，睡眠会逐渐变浅，呈现类似突然醒来时的小振幅且快速的脑电波，同时还会出现快速的眼球运动，这时就进入到了REM睡眠的阶段。以儿童表现得尤其明显，他们的身体此时会出现轻微的肌肉收缩。

入睡后会有持续约90分钟的非REM睡眠状态，90分钟后会过渡到第一次的REM睡眠状态。第一次REM睡眠时间很短，大约几分钟后，随着REM睡眠的结束，睡眠的第一周期也就完成了。

非REM睡眠的深度可分为四个级别。入睡后逐渐变深，快醒来时则逐渐变浅。

整个睡眠过程，就是在这两种状态之间进行反复的。第二周期以后的非REM睡眠不会如第一次那样深。若睡眠时间为6~7个小时的话，这种持续90~120分钟的睡眠周期就可以重复四次。但不得不说的是，睡眠质量依然取决于第一周期的质量。

实验表明，长时间不睡觉的话，这种想睡觉的睡眠压力就会堆积。借助睡觉的过程，可以释放出这种积累在体内的压力。这在第一周期时表现得最为明显。

总之，无论睡多久，如果最初的90分钟质量不佳的话，就会

图8 睡眠周期中，发生了什么？

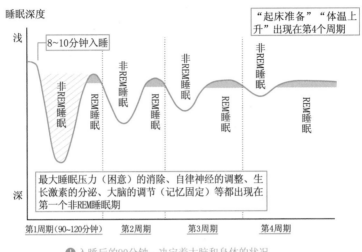

睡眠深度

浅

8~10分钟入睡

"起床准备" "体温上升"出现在第4个周期

非REM睡眠

REM睡眠

非REM睡眠

REM睡眠

非REM睡眠

REM睡眠

非REM睡眠

REM睡眠

最大睡眠压力（困意）的消除、自律神经的调整、生长激素的分泌、大脑的调节（记忆固定）等都出现在第一个非REM睡眠期

深

第1周期（90~120分钟）　第2周期　　第3周期　　第4周期

❗ 入睡后的90分钟，决定着大脑和身体的状况

导致后续的过程出现问题。睡6个小时的人和睡8个小时的人，可能就是因为最初的睡眠质量的差别，最后反而是睡6个小时的人睡得更香甜，白天也更能保持清醒的状态。

在最初的90分钟内就进入深度睡眠，并且之后也能保持正确的睡眠方式的话，人自然而然就会感觉早上起床时很舒服，工作中的表现也会更好。而对于患有身体疾病或精神疾病的患者来说，就很难保证这最初90分钟的非REM睡眠，特别是患有抑郁症的人。

早前就有报告说抑郁症患者最初的REM睡眠状态的出现是远远

早于90分钟的。我反而认为，正是由于抑郁症才导致最初的非REM睡眠阶段的睡眠质量不高。也就是说，由于最初90分钟的睡眠质量低下，导致情绪、身体条件、自律神经功能欠佳，而抑郁症就是这样一种典型的状况。

睡眠周期并非90分钟？！

根据睡眠周期理论，人们常认为睡眠时间最好以90分钟为单位来进行计算。

睡眠的第一周期为"入睡→非REM睡眠→REM睡眠"，第二周期为"REM睡眠→非REM睡眠→REM睡眠"，并以此反复，而每一周期持续的时间约为90分钟。通常在反复4~5次之后，睡眠会逐渐变浅，进入到REM睡眠阶段，如果这时醒来的话，那就再好不过了。

不过，睡眠周期其实也是因人而异的。实际上，一个周期的时间为90~120分钟。所以，也有研究人员提出睡眠时间应为120分钟的倍数为宜。

由此来看，起床的时机也是因个人睡眠周期而异的。

所以，我认为没必要局限于坊间"睡眠时长以90分钟的倍数为宜"的说法。

　　只有一点是共通的，那就是在睡眠的第一周期中会出现持续70~90分钟的深度非REM睡眠状态。因此，确保入睡后有90分钟的睡眠时间，就有可能拥有一个深度的非REM睡眠。

　　这就是黄金90分钟的道理所在。

　　如果你问我在睡眠过程中最关键的是什么时期，答案仍然是最初的90分钟。在我看来，这90分钟才是真正的黄金睡眠时间。

　　关键是要能顺利进入到最初的深度非REM睡眠状态。

　　睡眠周期为120分钟的人，也是在入睡后的90~110分钟才进入到深度睡眠，所以要说黄金时间的话，至少是入睡后的90分钟。

　　在睡觉这件事上，真可谓有善始，才能善终。确保最初的非REM睡眠时间能带来许多的好处。

　　接下来，就向大家介绍黄金90分钟带来的好处。首先要说的是"三大优点"。

黄金90分钟的三大优点

优点① 通过睡眠调节自律神经

入睡后，随着睡眠状态的加深，交感神经活动趋弱，而副交感神经逐渐占据主导地位。自律神经如果能按照清醒时交感神经占主导地位、休息时副交感神经占主导地位的规律顺利完成交替的话，大脑和身体就可以得到放松和休息。

进入REM睡眠状态后，脑电波呈现出的形状与清醒状态下的波形相近。此时，交感神经变得活跃，呼吸和心律出现不规则的变化。

如之前所介绍的那样，自律神经在维持呼吸、体温、心跳及肠胃活动等方面，发挥着重要的作用，对维持人的生命来说是不可或缺的。自律神经失调的话，就会诱发身心疾病。当你总是感觉身体状况不好，出现头痛、紧张、疲惫、焦躁、肩酸、发寒这样的不适感时，其根源多出在自律神经的紊乱。

绝大多数人都知道自律神经的重要性，也知道有很多调节自律神经的方法，诸如音乐、熏香、绘本、伸展运动等。

其中，保证黄金90分钟的睡眠被认为是调节自律神经的最佳办法。

究竟是因为自律神经平衡，才让人保持良好的睡眠，还是因为良好的睡眠实现了自律神经的平衡呢？这是一个"先有鸡还是先有蛋"似的问题。可以确定的是，自律神经和睡眠确实有着紧密的联系。

优点② 促进生长激素的分泌

所有生物的体内，都有一个以平均24小时为循环节律的"生物钟"。这个节律也被称为"昼夜节律"，实际上它与地球自转是相吻合的，以24小时为一个周期。人体的生物钟比24小时稍长，但是健康的人每天能够按照地球自转的节律（24小时）来进行自我调节。同时，许多体内激素的分泌都受到这种节律的影响。

生长激素虽然也会受到一天中的节律影响，但它的分泌在很大程度上还是得依靠非REM睡眠。

生长激素是一种较为特殊的激素，其在睡眠第一周期的非REM睡眠阶段，分泌得尤为显著，可占其分泌量的70%至80%。如果在平时已经入睡的时间里，依然坚持不睡觉的话，生长激素就不会进行分泌。

而且，如果是在黎明或是白天才入睡的话，依然可以观察到，在入睡初期会有生长激素分泌。但是，其分泌的量就不会像夜晚第一周期时那么多了。

生长激素与孩子的成长相关，但它并不是年轻人和幼儿的专属物。人即使到了老年也依然会分泌这种激素，只不过量会有所减少而已。

正如前面所介绍的那样，成年人的生长激素在促进细胞的生长和新陈代谢以及提高皮肤的柔软性、抗衰老等方面都发挥着重要作用。为了让自己更加有活力，请务必关照好我们的这个"好朋友"。

如果在最初的90分钟里没有出现最深的非REM睡眠的话，生长激素的分泌量就会减少。而在剩余的睡眠时间里，睡眠深度会发生变化，大脑和身体开始为醒来做准备，所以整晚的分泌量会急剧减少。

与之相反，如果最初的90分钟能实现深度睡眠的话，就能确保生长激素的分泌量达到80%左右。

假设，睡眠时间只有5个小时，只要能在最初的90分钟保持良好睡眠，生长激素的总量并不会减少。

优点③ 让大脑状态趋于良好

要想有高质量的睡眠，非REM睡眠与REM睡眠二者缺一不可。

如前所述，抑郁症患者就是因为最初的非REM睡眠时长不足，导致REM睡眠状态提前到来（有一种治疗抑郁症的方法为REM睡眠叫醒法）。

白天时常犯困的嗜睡症患者，则是入睡后马上就进入到REM睡眠，这会导致身体僵硬、四肢无力。虽然，关于这种病症还没能找到明确的原因，但大多数的抗抑郁症药物，都有抑制REM睡眠的作用，也可以被用来预防嗜睡症患者的四肢无力症状。

一旦患者的病情与最初的深度非REM睡眠得到改善，其REM睡眠的状态也会随之变好，并逐步向黄金90分钟靠拢，最终会让整个睡眠周期得以完善。

关于大脑和睡眠的关系，依然还有很多未解之谜。目前可以确定的是，抑郁症和综合失调症患者在入睡后的90分钟里，大脑是依然处于混乱状态的。所以，像"黄金90分钟具有调整大脑状态的作用""大脑的状态也会反映在黄金90分钟里"这样的假设是完全成立的。

培养精良的"睡眠部队"

"不得不加班的夜晚"该如何度过？

到底怎样才能保证黄金90分钟的睡眠呢？其实，答案非常简单。

那就是，坚持每天在同一时间睡觉、同一时间起床。在零点到来之前，最好夜里11点左右就上床。人类会受到一天中的节律影响，所以，作为生物来说夜晚睡觉、白天起床才是最合理的。

但是，对于绝大多数商务人士来说，要做到这一点非常难。

"已经零点了，但是还有很多资料必须要完成"这样的情况，相信你应该也遇到过吧。这种时候应尽可能避免通宵熬夜。

我的建议是，犯困时不妨先睡上一会儿，等黄金90分钟结束，在第一个REM睡眠状态下起床，开始着手完成剩下的资料。算上第一次的REM睡眠，可能只能睡100分钟左右，但只要能有深度的睡眠，那么睡眠质量也是能相对得到保证的。

最初的REM睡眠的出现时间因人而异，所以在设置闹钟时，建议将时间设置在90分钟后、100分钟后（或者110分钟后）。

这样一来，虽然睡眠总体时长仍不足，但在质量方面能够做到在最差的条件下，将优势最大化。

通过100分钟的睡眠，能够提高后续工作的效率，真可谓是赚到了。

此外，还有一种常见的情况，即强忍着困意，在凌晨4点做完工作，然后打算睡上3个小时，到早上7点钟再起床。但这种情况下，往往会因为精神亢奋而无法入睡。

之前一直处于精神集中的状态，大脑是很兴奋的。因为错过了最佳入睡时间，所以即便睡着了，在这个过程里也不会出现黄金90分钟。

还有，在昼夜节律的作用下，随着清晨的来临，身体自然开始为起床做准备。前文已经说过，黎明时人大多处于REM睡眠状态，这时大脑变得活跃，交感神经开始占据主导地位。在黎明时依然保持深度睡眠的做法是违背自然规律的。

黎明时才入睡的话，甚至会出现生长激素勉强能分泌，但其他激素因为受到一天节律的影响，完全不分泌的情况。

此外，黎明时，能让人保持清醒的类固醇激素开始分泌，这是在为起床做准备。

熬夜工作到黎明之后睡觉，会出现上床后迷迷糊糊，就是睡不沉的情况。结果，不仅睡眠时长不够，睡眠质量也会很糟糕。抑或者，入睡后能进入到深度睡眠，但起床后还是会睡眼惺忪地去上班。这种状态下，即使之前的报告写得再好，现场做发表时也会遭遇失败。

是否了解黄金90分钟法则，决定了你第二天是最大限度地减少负面影响，还是以最糟糕的结果收场。

为何上了年纪会睡不着觉？

白天频繁遭遇困意的嗜睡症患者，夜晚也肯定无法拥有黄金90分钟的睡眠，而且夜间会频繁地醒来。

虽然目前对其因果关系还没有了解清楚，但抑郁症或综合失调症的患者，在其睡眠的过程中是不存在黄金90分钟的，而且他们白天也多会感觉到困倦。

睡眠呼吸暂停综合征患者在入睡后，每小时会有超过15次感觉到脖子被一只无形的手掐着。因此，他们也是无法拥有黄金90分钟的。不仅会半夜醒来，到了白天还会出现瞬间睡眠的情况。就像前面说的那样，白天产生严重的困倦感，也意味着身体患严重疾病的风险较大。

在日本，不安腿综合征也被称为痒痒腿综合征，其症状表现为睡觉时腿会随意地活动，并伴有瘙痒感。因此，患者同样无法拥有黄金90分钟的睡眠，第二天清醒时的状态也较为糟糕。

从这些事例中可以看出，黄金90分钟是多么重要。即便没有任何疾病，只要最初的90分钟睡眠不佳的话，当黎明来临时，"苦难的现实世界"也就拉开帷幕了。

遗憾的是，随着年龄的增加，黄金90分钟出现的难度越来越大。希望老年人群能按照本书中介绍的方法，拥有健康的睡眠，维持健康的大脑。

我衷心地希望患者能接受妥当的治疗，同时，有睡眠障碍的人，要能掌握接下来将要介绍的"两大开关"，因为这是确保睡眠黄金90分钟的关键所在。

体温和大脑是睡眠的"开关"

立刻酣睡的方法

纵然睡眠的初始阶段非常重要，但依然有很多人还在苦恼于如何让自己入睡。

保持每天都在同一时间睡觉的做法，是符合昼夜规律的。这也是让自己尽快入睡，实现深度睡眠的有效办法。

如果你的生活方式是比较有规律的，那么请尽量固定你的上床时间和起床时间（尤其是上床时间）。这也是一种很有效的认知行为疗法。

但是，有些人的生活方式并不规律，还有些人可能平时生活比较有规律，但偶尔也会遇到需要4点起床出差，所以不得不马上睡觉的情况。有些人则是想着先睡90分钟，然后夜里再起床完成资料，因为如果不尽早入睡的话，时间就被耽误了。

因此，我想在本书中为各位介绍两个能让大家像小朋友一样尽快入睡的睡眠开关。

这两个睡眠开关就是体温和大脑。

通过这两个开关，让身体和思维切换到"睡眠模式"，从而让你的睡眠发生戏剧性的变化，顺利到达"睡眠世界的入口"，助你实现深度的睡眠。即便睡眠时长不够，也可以尽可能地提高睡眠质量，不再为睡眠过程中突然醒来而烦恼。第二天大脑会更清醒，工作效率也会有所提高。

总之，体温和大脑这两个开关，不仅能帮助我们更好地入睡，同时，无论你睡眠时间长短与否，都能很好地提高睡眠的质量，可以说是我们最值得依靠的朋友了。

体温开关

高质量的睡眠中，人的体温是会呈降低状态的。因此也可以说，体温的下降对于睡眠来说是不可或缺的。

人在清醒状态时的体温要高于睡觉时的体温。睡觉时体温会下降，内脏、肌肉、大脑都进入到休息的状态。而清醒时体温则会上升，以维持身体的活动。但这里提到的体温变化，指的是身体内部体温（即体内温度）的变化。

我们主要通过肌肉及内脏产生热量和手脚释放热量这两种途径来调节自身的体温。

体内温度的特点是白天高、夜间低。但是，手脚的温度（以下称为体表温度）正好与此相反，是白天低、夜间高。

通常情况下，清醒时体内温度要比体表温度高2℃。也就是说，体表温度为34.5℃的人，在清醒状态下其体内体温差不多是36.5℃。

健康的人在入睡前手脚开始变得温暖，体表温度上升，通过体表散发出热量可以让体内温度下降。

此时，体表温度和体内温度的差值会缩小到2℃以内。

总之，让自己顺利入睡的关键，就在于缩小体内温度和体表温度之间的差值。

图9　犯困时，体内温度和体表温度差值会缩小

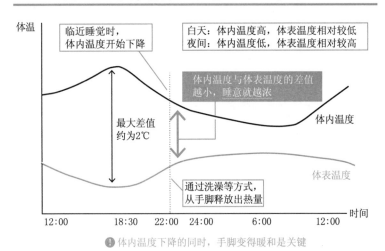

❶ 体内温度下降的同时，手脚变得暖和是关键

体表温度为34.5℃的人，其睡眠时的体内温度会降到36.2℃至36.5℃。

睡着的婴儿在哭闹时，脸颊会变红，手脚会变得温热（成年人也会有同样的变化，但不会这么夸张）。这是因为入睡时热量会首先经由手和脚这些部位被释放，进而引起体内温度的变化。如果借助一些方法促进这种变化发生的话，那么入睡的过程就会变得更加容易。这一点也已经通过人体实验得到证实。

入睡时，体内温度下降，体表温度上升，两者之间的差值缩小。这就是实现黄金90分钟睡眠的第一个开关。

脑部开关：让大脑切换到睡眠模式

本章开头介绍了歌剧演员的睡眠逸事。其中提到大脑和身体被喝彩声、欢呼声所包围，处于极度兴奋的状态。

商务人士的大脑也一样会长时间处于兴奋、紧张的状态。这是因为工作的压力和肉体的疲劳，会迫使大脑一直处于活动的状态。而且，工作之外还有无数让大脑无法休息的"陷阱"，诸如运动、就餐、手机、电脑等。

这样看来，包括商务人士在内的所有现代人，其大脑都是24小时处于兴奋状态的啊。

此外，大脑处于兴奋状态时，体温就会很难降下来。导致失眠症的原因有很多，近来关于"原发性失眠"（这类失眠无特定的身体疾病、精神疾病等原因）的一种解释备受关注，其认为这种失眠症多发生于过度清醒的状态下，此时体温会持续出现不稳定的下降，以及体内温度上升的现象。

相较而言，"脑部开关"可比喝伏特加要更有效果。所以，还请大家多多了解这方面的知识。

正确关闭"脑部开关"，能有效防止睡眠初期出现紊乱的情况。

明亮的房间与幽暗宁静的房间，哪一个更容易让人入睡并且达到酣睡的状态呢？大部分人的答案是后者吧。

为了能营造这样一个宁静且有助于睡眠的房间，我们会依次关掉通往卧室的每个房间和走廊的灯。而所谓"关闭大脑开关"，也就是与之类似的感觉。

接下来，就该说到更具实践意义的睡眠方法了，全面利用了斯坦福大学在睡眠方面的研究成果。

让转瞬即逝的最佳睡眠，重新回到你的身边吧。

第4章

斯坦福高效睡眠法

用体温和大脑打造最佳睡眠

入睡潜伏期

常常有人抱怨自己难以入睡，躺在床上怎么也睡不着。

那么实际上，睡不着的人与倒头就睡的人在入睡时间上的差别到底有多大呢？

我们将进入到睡眠状态所需的时间称为入睡潜伏期。

在Airweave的实验中，召集了10名健康的年轻人，统计他们的"入睡潜伏期"。结果显示他们进入到入睡状态，平均需要7至8分钟。我们可以将此看作正常值。

为了进行相关对比，同时还召集了20名年龄在55岁以上，身体健康但入睡困难的人，经统计他们的入睡潜伏期为10分钟。

由此可见，容易入睡和难以入睡的人之间，差值仅仅为2分钟。

一些认为自己怎么也睡不着，但实际上已经睡着的案例也比意料中多。

虽然有些人躺在床上几十分钟都无法睡着，但除了患有需要治疗的睡眠疾病外，其实并没必要神经质地觉得"最近好像总是睡不着觉"。

"白天是否容易犯困""头脑是否清醒""工作中是否出现很多失误"等白天的清醒程度，才是判断睡眠质量好坏的关键。

只是我们都生活在一个"难以入眠的社会"，每天使用电脑、工作的压力以及各种各样的外部刺激，都在影响着我们的睡眠。

说起来非常不好意思，我自己也有过一直工作到睡觉前，或者临睡前查看了重要的邮件，结果直到清晨都没睡着的经历。就像前面说过的那样，日本人的睡眠偏差值很低。

要想排除干扰自己入睡的因素，必须要操控好体温和大脑这两个重要的睡眠开关。

体温和睡眠

前面已经介绍过，睡眠医学的发展历史较短，在很长一段时间里都没有引起人们的关注。

但是，比起"睡眠"来，人们很早就认识到了"体温"的重要性。

为了广泛收集睡眠研究中不可或缺的信息，我曾和美国棒球大联盟的几名球队管理者进行了面谈。基于"睡眠"会给选手的表现带来影响的观点，我提出了能帮助实现优质睡眠的一些建议。

但对方却极为冷淡地表示："睡眠？我们的选手只会在醒着的时候比赛。所以这完全不搭界吧。"因此，我常常会吃闭门羹。

但是，当我将实际的数据展示出来，并告诉他们"睡眠与体温有着密切的关联，通过体温的变化来提升睡眠质量，有助于取得好成绩"时，对方的态度发生了180度的大转变。

蜥蜴等变温类动物①正如其名字那样，体温会随着气温的变化而变化。

人类是哺乳类恒温动物，所以体温具有恒常性，基本保持不变。但因为昼夜节律的影响，会通过生物钟来调节一天体温的细微变化。

正常体温为36℃的人，一天的体温变化幅度在0.7℃左右。其特点是：白天处于活跃状态时体温会升高，晚上进入休息状态时体温则会下降。

由此可见，体温与个人的状态确实有着密不可分的联系。本书已经多次介绍过在显示屏的画面上出现图形时按下按钮的实

---

① 也称冷血动物。——译者注

验。通过这个实验，我们也发现，体温较高时参与者的成绩表现不错，而体温较低时则失误较多。

也许是因为美国棒球大联盟的管理者们也真正认识到了体温的重要性，所以当我将睡眠与体温联系起来时，他们才表现出了兴趣。

现如今，当我介绍自己是睡眠方面的学者时，不管是球队还是军事部门的人，都会认真听取我给出的相关建议。

棒球选手和职业军人二者的共同点就在于，身体是资本，同时还必须具备敏锐的思考能力。

军人并不是只需要健壮的体魄就可以了。在广泛运用尖端技术的时代，拥有一个清晰的大脑，才是让自己存活下去的关键。

尽管如此，战争状态下也确实无法在饮食和休息方面有太多的保障。像"有规律的早睡早起，保持充足的睡眠，选择适合自己的卧具"这样的奢侈愿望，在大部分情况下是难以实现的。

良好的睡眠不仅能带来最佳的表现，也能有效预防受伤和事故的发生。对于一流的运动员和军人来说，受伤和事故都是致命的。

只有通过睡眠才能让24小时都处于严酷状况下的身体和大脑得到修整。

如果睡眠的量得不到保证，那就只能想办法提高睡眠的质了。

体温和睡眠对于白天的表现来说非常重要，二者之间有着紧密的联系。正因为如此，对方才会纷纷表示："如果是那样的话，无论如何都想听一听你的看法！"

会议室中的"遇难者"

"双手暖和的孩子才能安睡"这句话清楚地表达了睡眠与体温的关系。

如前所述，体温包括体表温度和体内温度两种。

需要强调的是，入睡前，孩子的手脚会变得暖和，体表温度会有所上升。究其原因，就是因为体表温度一旦上升，热量就会从毛细血管密布的手和脚释放出来，这样也能有效地降低体内温度。

体内温度下降才能保证顺利进入到睡眠状态。

总之，希望大家能认清这样一个事实，睡眠时，人的体内温度会下降，相反，在清醒时，体内温度则会上升。

接下来，我们再把场景转换到冬季的山野。

当听到"好冷，好困"这样的台词，也许会让你想起影视剧里"在雪山上遇难的场景"吧。而其中的人物常常会说："不要睡啊！如果睡着就会死的。"

那么，此时我们的身体内部，到底出现了怎样的变化呢？

在严寒的环境中，肺部会吸入大量的冷空气，导致体内温度急剧下降，在感到犯困的同时，身体也会冻得哆嗦发抖。因为，此时维持体温就等同于在维持生命，所以，我们的身体才会借助肌肉的动作来产生热量。

但是，由于身处极寒之中，仅靠这样依然无法让体温得到提高，所以就必须停止身体肌肉的运动。因为，身体的运动也会消耗体内大量的能量，必须优先保证对大脑的能量供给。

手脚动弹不得并不会导致丧命，但大脑一旦停止运转，那就肯定要出人命了。

当我们的大脑中负责控制维持生命所必需的自律神经（呼吸、心跳、体温的维持等）的区域继续工作，而与生命并无直接关系的区域（思维活动、消化活动、肌肉运动等）停止工作时，人就会进入到"休眠模式"。这也是在雪山上遇险时"人会感觉犯困"的原因所在。

但是，睡眠过程中体内温度会开始下降。因此，如果在雪山上睡着的话，热量大量流失会远超平时的水平，这将直接导致低体温症的发生，人不久就会死亡。

此外，虽然体内温度急剧下降，但手和脚等部位仍穿戴有厚厚的手套和长筒靴。这种保温效果使得手脚变得很暖和，而这也会带来倦意。

对于坐在冷气十足的会议室里的人来说，与雪山上遇难的人有着相似境遇。

在会议进行时，无论多冷都不能任意活动自己的身体。这样一来，肌肉就无法产生热量，体内温度也不能正常提高。由于"维持生命"是头等大事，所以，大脑会暂停无关紧要的区域，让人进入"休眠状态"。也就是说，冷气十足的会议室会导致人的体温下降，从而容易犯困。

基于我个人的经验，最困的时候是时差还没倒过来，就坐在日本冰冷的会议室里开会。为了防止自己打盹儿，我会故意选择坐在最前排的正中间，但是不经意间往后一看，从国外来的参会人员基本都睡着了。

不过，在开会时恰恰需要大脑调动与维持生命无直接关系的区域，所以事实上，此时面临真正危险的，应该是你的职业生涯吧。

以前我们常认为春天暖洋洋的，容易犯困（这是春季特有的现象，其出现并没有特定的原因，但是有一点可以确定：秋季和冬季不会有这种现象），但现在也应注意，寒冷的冬天或者冷气十足的会议室同样会让人容易犯困。

体温的变化

在日常生活中，还没有哪种冷气设施能诱发低体温症，所以无须过度担心。

但是，和很多讲解睡眠的书籍一样，我想强调的是单单认为体内温度下降就会犯困，这并不准确。

当我们清醒时，体内温度要比体表温度高2℃左右，但是在睡觉时体内温度则会下降0.3℃左右，两者之间的差距缩小到了2℃以下。体表温度和体内温度的差距缩小时，人更容易入睡，这一研究结论，刊登在了1999年出版的*Nature*杂志上。

如前所述，重要的是缩小体表温度和体内温度的差距。为此，首先必须要提高体表温度，通过释放热量来降低体内温度。

请记住，体温升（开）/降（关）的这种变化是非常重要的。

- 清醒时体温上升，个人表现的状态也有所提高（打开了开关）。
- 体表温度上升（开），热量散发导致体内温度下降（关），能让人尽快入睡。
- 在黄金90分钟阶段，体温若能顺利下降（关），睡眠质量就会提升。
- 随着清晨的来临，体温开始上升（开），人会逐渐醒来。

有了这种变化，我们在最初的90分钟里就能睡得更沉，而醒来时也会感觉更加舒畅。

白天体温上升，同时也不会犯困，工作效率得到大大的提高。

那么，怎样才能打开或关闭"体温开关"呢？接下来就说一说具体的办法。

提升睡眠质量的三大体温开关

体温开关① 入睡前90分钟沐浴

入睡前可以有意识地提高自己的体表温度，降低体内温度。这种"提高与降低"在实现优质睡眠的过程中是不可或缺的。

甚至，我们还可以利用体内温度的某些特性来缩小体表温度和体内温度的差距。

而能有效缩小体内温度和体表温度二者差距的有效方法，就是沐浴。

体表温度很容易发生变化，将手放入冰凉的水中就会变冷，浸泡到热水中或靠近暖炉时，又会马上变热。

但这并不是说泡在41℃的洗澡水里，体表温度和体内温度也都会达到41℃。如果真是这样的话，那一定是生病了。

前面已经说过，人体通过自律神经活动来保持其恒常性。所以，沐浴带来的体表温度变化最多为0.8至1.2℃。

人体中的肌肉、脂肪等，都是具有保温作用的组织。而且，

体内温度也受恒常性的影响，不会轻易发生变化。但即便如此，
沐浴仍可以说是调节体内温度的强大开关。

图10 体内温度的升降是关键！

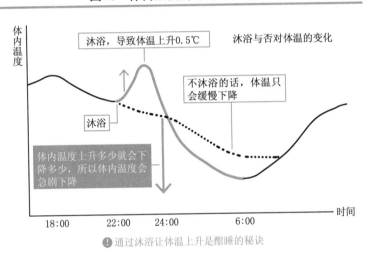

沐浴，导致体温上升0.5℃

沐浴与否对体温的变化

不沐浴的话，体温只
会缓慢下降

沐浴

体内温度上升多少就会下
降多少，所以体内温度会
急剧下降

时间

18:00　　22:00　　24:00　　　6:00

❶ 通过沐浴让体温上升是酣睡的秘诀

　　入睡前，做一些舒缓的运动也可以有效提高体温。但运动过
度的话，会刺激到交感神经导致睡不着觉，还可能会造成疲劳感
和疼痛感。所以，从睡眠的角度出发，不建议大家这样做。

　　我们进行的与沐浴相关的实验显示，在40℃的洗澡水中泡15
分钟之后，体内温度会上升约0.5℃。也就是说，如果体内温度平
常为37℃的话，沐浴后就会达到37.5℃。

　　体内温度获得暂时性的提高，是非常重要的，因为体内温

度具有上升多少就会下降多少的特性。所以，有意识地通过沐浴来提高体内温度，这样在入睡时体内温度就会出现更大幅度的下降，这将有助于我们的睡眠。

体内温度上升0.5℃后，需要用90分钟的时间，才能恢复到之前的水平，即降到比沐浴前还低的体温，已经是90分钟以后的事情了。

总之，入睡前90分钟洗好澡，然后让体内温度开始下降，与体表温度之间的差距不断缩小，最后就能顺利地入睡。

最好在临睡前沐浴

假设要在夜里0点睡觉的话，就应该按下面这个流程来做。

● 22点00分　沐浴。在澡盆里泡上15分钟，体表温度与体内温度都会升高。

● 22点30分　沐浴完毕。体表温度上升了0.8至1.2℃，而体内温度上升了0.5℃。此时身体开始通过出汗等方式释放热量。

● 0点00分　通过热量的释放让体内温度恢复到之前的水平，甚至开始进一步地降低。此时就应当上床睡觉了。

● 0点10分　入睡。体表温度和体内温度的差距缩小到了2℃

以内。

实际上，也不一定要严格按照这个时间点来做，但可以拿来作为一种参考。

体温上升后会自然地开始下降，而电风扇等设备，也有帮助释放热量的效果。

夏天炎热的时候，很多人都会说洗完澡要吹吹电风扇。这是因为出于本能，想要更好地释放出热量，降低过高的体温。

从另一方面来看，无论是夏季还是冬季，沐浴后身体都会出汗以释放热量。如果因为感觉很冷，就立马换衣服，穿上较厚的长袍的话，热量可能就无法被顺利释放出来了，这样一来，体内温度也无法实现正常的下降。

在不足40℃的温热洗澡水里泡少于15分钟时，体内温度上升将不足0.5℃，而恢复到原点也无须90分钟。

所以，工作太忙而无法保证在睡前90分钟洗好澡的人，可以选择不会让体内温度过度提高的温水浴或淋浴。

温泉具有更强的效果吗？

接下来所提到的有关沐浴与体温的相关数据，都引自斯坦福大学与秋田大学合作进行的实验结果。

在40℃的洗澡水里泡15分钟的话，体内温度会上升0.5℃。这是以普通的洗澡水为对象得出的数据，而在秋田市则有很多优质的温泉。

于是，我和SCN研究所的前辈——秋田大学的神林崇、上村佐知子一起做了一次联合研究，将温泉和普通的洗澡水进行对比，调查了碳酸温泉、钠温泉、普通洗澡水各自会带来的体温变化。一般来说，碳酸温泉的水温都较低，所以为了进行客观对比，将其温度加热到40℃。

结果显示，与普通沐浴相比，碳酸温泉、钠温泉等温泉浴能更有效地提高体内温度。而热量释放后，体内温度的下降幅度也更大。甚至，还会让睡眠第一周期的非REM睡眠阶段脑电波的振幅也变大，实现最佳的黄金90分钟非REM睡眠。

从这个结果来看，可以说作为睡眠的开关，能让体内温度大幅提高和下降的温泉浴，其效果是很显著的。

但是，泡过钠温泉后也会有较强的疲倦感，会出现所谓的汤后疲劳和头晕等症状。形成汤后疲劳的原因有很多，包括出汗导致的矿物质流失、沐浴前后体内血流量的变化等。

碳酸温泉与普通洗澡水一样，不会让人出现沐浴后的疲劳感。可以说，温泉的优点有很多，缺点却极少。长期需要进行温泉疗养的人、伤后的运动员还有希望泡温泉来消除疲劳的人，请最好选择碳酸温泉。

理论上，市场上销售的碳酸沐浴剂也具有同样的效果，但很难说清其碳酸的浓度、成分与天然的碳酸温泉是否完全一样。市面上的产品可谓有好有坏，良莠不齐。

顺带说一句题外话，希望各位能理性选择沐浴剂以及其他强调所谓"科学性"的产品。

例如，有产品会宣扬这样的实验数据，当实验老鼠摄取相当于其体重1/10（约3克）的该成分后，60%的老鼠都会变瘦，可是在实际销售的产品中，该成分的含量却不足1克（如果按人体重的1/10来算的话，就必须得是几千克了）。即使这样，厂家在销售时依然宣称这是"有科学依据"的减肥营养品。

体温开关② 足浴具有惊人的散热能力

虽然前面提过没有时间的话，可以放弃泡澡而选择淋浴，但其实还有比沐浴起效更快的开关，那就是足浴。

当洗完澡热得不行时，身体会出汗并开始释放热量。在北欧，有人洗完桑拿后会赤身裸体地飞奔到满是积雪的户外。由于体内温度的大幅提高，在热量释放的过程中，体温还是会高于正常值的，所以不必担心。

只不过，释放热量的主体并不是我们的躯体。

真正主导热量释放的，是表面积较大且毛细血管发达的手脚部位。

因此，足浴能改善脚部的血液循环，促进热量释放，从而达到与沐浴一样的效果。

从物理角度来看，沐浴需要花费较长的时间，但是足浴就不需要那么麻烦了。

沐浴主要是提高体内温度的一种方法，但要想实现大幅度的提高与下降，这需要时间。而足浴则是释放热量的一种方法，体温虽然不会因此获得大幅上升，但是在促进体温下降方面却发挥了很好的作用。

从"临睡前也可以做"这点来看，足浴确实很适合工作繁忙的商务人士。

进行足浴的目的是改善脚部的血液循环，促进热量的释放，所以，按摩也具有同样的效果。但是，自己给自己按摩腿部时，身体不得不用劲，并不能得到完全的放松，此外还要动脑想按摩的手法，这样大脑难免会感到疲倦，所以这样做并不利于睡眠。

睡觉前让家人帮忙做脚部按摩的情况也不是没有，但应该也是比较少的吧。

可以说，一个洗脚盆就能够实现的足浴，才是最现实的选择。此外，还有通过淋浴来重点温暖脚部的各种方法，所以，睡前请务必设法温暖自己的双脚吧。

穿袜子也能消除困意吗？

很多人都认为脚太冷而睡不着，尤其以女性居多，经常会听到她们说睡觉时也要穿上袜子。

身体发冷的原因有很多，其中不排除有血管较细等遗传因素的影响。而吸烟也会导致血管变细，所以很多"大烟枪"都是寒性体质。

总之，手脚部位的末梢血管收缩会导致热量无法正常释放，而穿袜子则具有温暖脚部、扩张末梢血管、促进血液循环的作用，所以这是有一定道理的。

穿上袜子温暖脚部→脱掉袜子释放热量→体内温度下降→入睡，这是最为理想的流程。

但是，很多因为身体发冷而苦恼的人则表示穿上袜子后脚依然很冷，依然难以入睡，甚至穿上好几层。但穿着袜子入睡会妨碍脚部的热量释放。

热量无法从脚部释放出来，也就意味着体内温度很难顺利地下降，这将直接导致睡眠质量变差。站在睡眠的角度来看，只能暂时性地穿一穿，而且只要不是过于体寒的话，还是建议不要这样做。

对于睡眠来说，穿袜子其实没有任何帮助。在日常生活中，我们需要通过运动、按摩等手段来促进血液的循环。

有的人也会使用电热毯或是热水袋，但是一直处于温热的环境中，会导致热量堆积而无法有效释放，出现"中暑性闷热"的现象。如果确实需要使用的话，建议还是在睡前使用。当腿脚变得暖和、血液循环良好时就不再使用，这样有助于释放热量。

除此之外，还有人会觉得冷得受不了，而想温暖身体的主动脉部位，这时他们会选择戴上围脖来温暖脖子，或是在大腿根部贴上暖宝宝。

脖子和腹股沟处的确分布着大动脉，所以发烧或中暑时要想快速降低体温，最好是冷敷脖子和大腿根部。但是，生理性散热主要还是由毛细血管较丰富的手脚部位来完成的。

归根结底，对寒性体质的人来说，从根本上改善体质才是王道。

改变生活习惯，譬如，解决运动不足的问题来增加血流量、戒烟等。

这些都是需要长期坚持的，所以还是先通过淋浴、泡脚等方法来增加体内的血流量吧。

体温开关③ 强化体温效果的室温调节

说到"睡眠与卧具"的话题，常常会有人咨询什么样的卧具比较好。

与被子相比，褥子因材料的不同而有更大的差别。SCN研究所的前辈千叶伸太郎（现就职于慈惠医科大学）和我一起对此进行了调查。我们发现睡在超柔软的床垫和高反弹床垫上时，身体热量的释放情况是大不相同的，睡眠前半期体内温度差距能达到0.3℃（睡在高反弹床垫时偏低）。

但是，无论多好的卧具，如果室温没有调整好的话，其优点也是无法体现出来的。

在日本，人们更加重视局部的温暖度，所以严冬时节房间里都会很冷。常见的情况就是寒冷的房间里只有被炉或者只有厚厚的被子而没有空调，但是作为体温的开关来说，还是舒适的室温会更有效果。

然而，室温过高时，身体的出汗量就会超标。

入睡后，体温本身就会自然地下降，而出汗会导致过多的热量释放，这就会导致体温的过度下降，从而患上感冒。

这也是夏季患感冒的主要原因之一。

另外，温度较高时，往往空气的湿度也很高。湿度过高就让人无法正常排汗，同时也会妨碍通过手脚释放热量，最终妨碍睡眠，甚至还可能导致中暑性闷热现象的发生。夏天无法入睡，或是老年人入睡后中暑都是由这一原因造成的。

作为解决的对策，人们常常被建议要注意水分的补给，同时还要选择吸湿性佳的睡衣、卧具。但其实室温和湿度对于中暑性闷热的影响才是更大的。

反之，室温过低的话，就会导致血液循环不佳，热量同样得不到释放，人就会难以入睡。

如果你正为睡眠而烦恼的话，请尝试转变意识，调节好室温。现在市面上有很多节能环保型的空调销售。

当然，每个人能适应的温度有很大的差异，所以不能说"最好就是××℃"，但一直开着冷气睡觉的话，体温下降会容易感冒，所以请记得设定成睡眠模式。

体温不会立马对外界温度做出反应，所以没必要在睡眠的每一个阶段都调节室温。但是，如果能根据睡眠阶段调控理想的室温，则会大大增加熟睡的可能性。这样的机器目前正在研发中。

用荞麦壳枕头来镇静安神

脑部的温度和体内温度的变化也很相似，入睡后会逐渐变低。

但在非REM睡眠阶段和REM睡眠阶段，体内温度的变化幅度则是很小的。

睡眠过程中，体温总体会下降。与之相对应，在REM睡眠阶段，脑部的温度会有小幅度的提高，这是因为在REM睡眠阶段我们会做梦，此时大脑开始活动，脑部的血流量也随之增加。

睡眠中大脑必须得以休息，为了休息好，最好是降低温度。致力于治疗失眠症的美国研究人员，正在研发一种头部冷却装置，但目前还没有能完全适合所有人的产品。

维持良好的透气性的话，温度也会有所下降，从这个角度来说，日本的荞麦壳枕头还是有效果的。当然，这涉及过敏等问题，但是借助先进的技术，已经研发出了一种与荞麦壳构造类似的塑料颗粒作为填充物。

这里顺便再就枕头的高度做一下说明，考虑到呼吸道的通畅问题，最好是选择矮一点的枕头。当然这也只是我个人的观点，毕竟每个人的体形、脖子的曲线都不尽相同。

　　同时，这也和个人的喜好有很大的关系，每个个体之间也有差异性。所以很遗憾，在枕头的挑选方面并没有一个绝对的正确答案。

利用脑部开关让睡眠模式化

换了枕头，老鼠都睡不着吗？

即使体温按照理想状态进行变化，也可能仍会有无法顺利入睡的情况发生。

例如，遇到了烦恼、一直工作到临睡前，抑或是玩游戏、玩智能手机而让大脑处于兴奋的状态，都会让人很难睡着，而且睡眠质量也得不到保证。对于失眠症患者来说，来自大脑的影响占很大比重。

并非只有人才会患上慢性失眠症，因环境变化而导致短期失眠的情况，在一些动物的身上也会发生。

有一项实验是将大鼠和鼹鼠从各自已经适应的笼子中取出，放入一个新的笼子里，结果发现它们变得难以入睡。我们在研究短期压力性失眠的时候，也采用了这一实验方法。

有研究人员做了一个中间带隔断的笼子，在两边各放一只大鼠和鼹鼠，并观察它们的行为以及睡眠上的变化。通过中间隔断的栅栏，它们可以互相看到对方，也可以闻到彼此的味道。实际上它们就像生活在一个共享房间里。

实验用的大鼠和鼷鼠，用日语来解释都是"老鼠"。但是大鼠起源于褐鼠，而鼷鼠则起源于小白鼠，因此它们的体格存在很大的差异。自己旁边放着一只体形庞大、体重超出自己约10倍的大鼠，此时鼷鼠会变得很不安，压力剧增从而导致失眠。

市面上出售的安眠药对于患失眠症的鼷鼠来说也是有效的。不过，像这样使用不同种类的动物进行实验，往往会触及动物饲养的相关规定、动物实验的伦理规程等，所以也面临不少问题。即便是人，当你的室友体重差不多是你的10倍时，你也无法做到心如止水吧。

最近，研究人员又发现在饲养了约2周的老鼠笼子里，再放入一只别的老鼠，也会导致其出现失眠症状，也就是短期性的失眠症。

我们再来看看人类。如果现在你置身在一个卫生打扫不彻底、到处散发着汗臭味的小客栈里，应该也无法马上安然入睡吧。总之，环境一旦发生改变，大脑就会做出反应，此时就有可能出现失眠症状。

相信你也有外出旅游时失眠的经历吧。这就是由于外部环境变化带给大脑的刺激，大脑的状态会变得和老鼠一样，开始妨碍我们进入梦乡。

大脑重量仅为500毫克的老鼠，都会有如此明显的反应，那么，大脑更加发达的人类，因环境的变化和轻微的刺激而无法入眠也就可以理解了。即使是极富好奇心的人，也不喜欢在临睡前刺激自己的大脑。

反过来说，保持平常的状态，才是将大脑开关调至睡眠模式的诀窍。

"睡眠天才"会让大脑放空

有时我们会在飞机托运的行李上贴"易碎品"的标签。而之所以要强调"易碎"两个字，简单来说就是想告诉对方注意别弄坏了。

睡眠也极易受到外界的影响，所以也可以被称为"易碎品"。

太冷或是太热会让我们无法入睡，而太吵或太过安静、太亮或太暗时也不行。

因此，睡眠环境可谓极其重要，但无论多好的环境，只要大脑仍处于活跃状态，就无法入睡。

大脑是影响睡眠的一个重要开关，必须让大脑得到好好的休息。

为此，应该怎样做呢？相关的研究也才刚刚起步，仍然有很多科学的未解之谜。

例如，光线。据说智能手机和电脑显示屏中发出的蓝光不利于睡眠。虽然人们认识到了蓝光对睡眠的影响，但是仍不得不靠近屏幕，一直紧盯画面。

比起智能手机和电脑显示屏发出的这些蓝光来，人们在其上进行的各种操作，会对大脑产生更大的刺激，而这对睡眠的影响则要更甚。

基本上，就是睡前最好什么都不想。换句话说，真正的"睡眠天才"会让大脑放空。接下来要介绍的，就是在日常生活中可以让大脑放空的大脑开关。

大脑开关① 单调法则

"什么都别想"，虽然话是这么说，但真要做起来还是非常有难度的。因此，我们换一个角度来进行分析吧。

在高速公路上开车时容易犯困，原因之一就是眼前风景的一成不变。

处在单调的状况下，大脑就比较容易放空，不再去思考任何问题，同时会感觉无聊，很容易犯困。所以说，单调的状态是控制睡眠的一个大脑开关。

我们要尽可能有意识地营造这种单调的状态。睡前的娱乐也最好是那种无须用脑的、放松享受的活动。比起那种"看了让人迫切想知道犯人是谁"的推理小说来，还是选择一些无聊的书更好。比起动作片来，单口相声更有助于睡眠（当然了，拍得单调乏味的影片也没机会公映吧）。除此之外，有些短视频也是会令人着迷的。

通常情况下，无聊的东西都不太受欢迎，但却是睡眠的好伙伴。因为"无聊"可以将大脑的开关关上，从而实现深度的睡眠。

突破大脑的"关口"

利用好大脑恋旧的特性，也能帮助我们实现更好的入睡流程。这就像成绩优秀的运动员在比赛前通常都会穿同一件内衣、吃同样的食物、摆出同样的姿势。

运动员通过这样的方式，让自己做到一心不闻窗外事，全身心专注于比赛。

而想要睡觉的人，也不要多想无用之事，应关闭大脑的开关，让自己安心睡觉。

和平时一样，在同一张床上、同一时间，穿着一样的睡衣，在一样的照明和室温环境下入睡。睡前如需听音乐的话，可以选择同一首单调的曲子。

在失眠症认知行为疗法中，"睡不着就起床"是最常被提及的一点。这是为了给大脑灌输一种正确的概念：床是睡觉的场所，而不是看书、看电视的场所。

这是一种行之有效的治疗方法，但对于那些并非患有失眠症，只是已经养成了在床上读书、看电视习惯的人来说，这本已是常规模式，所以未必需要做出改变。

不过，无论是电视节目还是书籍，都建议选择那种刺激较少且偏无聊的内容。这样看来，智能手机才是危险的。用它既能打游戏、检索信息，还能查收邮件。一定要避免刺激交感神经的活跃，因为在这种状态下，即便睡着了，黄金90分钟的睡眠质量也不会很好。

大脑开关②"数羊"的正确方法

"数羊"是特别古老的一种帮助入睡的方法。

但是，认为用日语数完100只羊就能入睡，这就是错误的。

没有受过专业播音训练的人，很难流利地念叨出"一只羊、两只羊……"虽然这不是我的专业领域，但我确实感觉"羊"在日语中的发音并不简单（译者注：日语中的"羊"发音为三个音节，即Hi-Tsu-Ji）。

这种方法原本是指用英语来数羊，即"sheep, sheep, sheep..."

对此有很多种解释，比如和"sleep"的发音相近；"sheep"的发音较简单，念的时候像是要屏住呼吸，所以具有诱导睡眠的效果。

即便是英语不擅长的人，比起用日语说"一只羊、一只羊"来，还是用英语发"sheep"的音更容易吧。所以，即便是流传很久的东西，当知道了其背后为何有效的理由后，才会发现有很多做法都是没有实际意义的。

反向开关：抖腿会让人睡不着吗？

据说，人在坐电车时之所以会睡着，是因为有节奏的摇晃能让人犯困和放松。有研究人员表示，这是因为电车的晃动节奏属于1/f波动。而能够让婴儿安然入睡的摇篮晃动也是一样的原理。

1/f波动具有无法预测的空间变化、时间变化、波动等特征，是介于有规律和无规律之间的一种声音。据说它能使人心情愉悦，并具有治愈的效果，或许你此前并没有听说过吧。

人的心率、呼吸、α波以及非REM睡眠阶段的脑电波，实际上也都属于1/f波动的类型，原本我们人体的很多节律都是1/f波动。

曾有人问我通过抖腿的方式再现电车的晃动能让人入睡吗？事实上这是非常难的。即便抖腿能完美地再现出电车的晃动，实现1/f波动，也并不能成为睡眠的开关。

这是因为自己在进行抖腿这样有节奏的晃动时，想要保持节奏，大脑就得一直处于活跃的状态，而这正好违背了"单调"的定义。

当我们努力模仿某个舞蹈动作的时候，大脑会向身体发出"伸出右手、抬腿"等指令，同时还要抓住节奏和旋律并思考接下来的动作。抖腿的状态就与此类似。在这种运动模式下，大脑是很兴奋的，它并不想休息。所以说这并不是一个适合睡眠的状态。

仅仅靠有节奏的晃动，是无法让人入睡的。"消极的状态"是不可或缺的，只有让自己被动受制于这种节奏，才能转换到"入睡模式"。

因为被动的状态非常重要，所以睡前做运动时，有必要加以注意。例如，伸展运动能够促进睡眠质量的提高，但是过于认真去练习的话，大脑就会处于主动、活跃的状态，这也是导致难以入睡的主要原因。

大脑也有不想睡的时候？

人为何会犯困？

为什么大脑会选择睡觉这种休息方式呢？

其实，在这个问题背后，隐藏着能顺利关闭脑部开关的诀窍。

睡眠医学的发展至今都颇有意思。从医学的角度来分析睡眠，最早可以追溯到以希波克拉底为代表的古希腊时期。此后，阴阳学说等也对睡眠进行过论述。而在中世纪的欧洲，人们对睡眠又加入了宗教色彩的解释。不过，到了19世纪，欧洲逐渐形成了"大脑中存在疲劳物质"的学说，而对睡眠进行科学验证的活动，也开始变得越来越频繁。

研究者们认为存在所谓的睡眠物质，并指出一直不睡觉的话，会导致睡眠物质不断堆积，这时人就会犯困。无论是日本还是欧洲，对此都进行了各种各样的研究。

"采集沉睡中的动物血液和脑脊液，然后注射到其他动物的身体里，结果会怎么样呢？""将两只动物的血管连接起来，它们同时入睡的概率会变高吗？"像这样，研究者们甚至还做过如此极端的实验。

现在，"睡眠"已经属于神经科学的研究对象，虽然还没有完全弄清楚所有的问题，但是有相当一部分正在逐步解明中。比如斯坦福大学所进行的研究，让我们弄清楚了关于发作性嗜睡症的病理，进而让睡眠障碍形成的机理也逐渐明晰了起来。

与睡眠、清醒状态相关的神经细胞、神经传导物质的特别研究，也在进行中。

例如，腺苷。这是一种具有抑制功能的神经传导物质，由于其也是DNA的基本构成部分，所以也存在变形虫等太古时期的真核生物体内。

这一点表明睡眠的起源极有可能非常久远。植物也会进行睡眠，这并非不可思议。

所谓的咖啡因能驱走睡意，其实是因为咖啡因可以妨碍促进睡眠的腺苷发挥作用。具有令人清醒作用的咖啡因，主要源自咖啡豆以及可可豆等植物，在动物的体内并不存在这种物质。

此外，具有强效唤醒作用的神经传导物质——苯基二氢喹唑啉（orexin）不仅与意识清醒有关，还关系到对食物的摄取（进食）。"orexin"一词来源于"orexis"，它在希腊语中就是

"食欲"的意思。

在发现苯基二氢喹唑啉的第二年，我们的研究团队就注意到，这一物质的短缺会导致发作性嗜睡症的出现。简单来说，患者并不是突然睡着，而是无法保持一直清醒的状态。

人可以连续16个小时不睡觉。在这个过程中，像苯基二氢喹唑啉这样的清醒物质会一直保持活跃的状态，但是体内渴望睡觉的睡眠压力也在不断上升。受昼夜节律的影响，清醒物质的活动逐渐趋弱，最终，睡眠压力的上升会压过清醒物质的活动。

这种睡眠压力逆转清醒物质的状况，是睡意来袭时发生在大脑内部的一种现象。

斯坦福大学的睡眠实验

睡眠研究是一门面向未来的研究，仅仅通过神经活动和神经传导物质是无法解释入睡现象的。接下来要介绍的，就是斯坦福大学所做的一个与此有关的"睡意与大脑"实验。

在前面已经介绍过，对睡眠的检测与实验，需要花费大量的时间。睡眠通常是一天一次，所以，对睡眠模式进行数据记录，常常需要数日。而且，这只能在人们处于睡眠状态的深夜里进行。

例如，发作性嗜睡症，其睡眠过程中会表现出两个异常点。

其一是入睡潜伏期非常短；其二则是通常在入睡90分钟后才过渡到的REM睡眠，会在入睡后马上出现。

我们是否能更有效地对此进行观察呢？

1980年，斯坦福大学在这方面做出了一些努力。为了记录发作性嗜睡症患者的数据，同时也为了调查一天中不同的时间段里，REM睡眠出现的方式是否会有变化，我们设计了一个"假设1天为90分钟"的实验。这个实验也被叫作"Ａ　90　ｍｉｎｕｔｅ　ｄａｙ"。

首先，假设1天为90分钟。而24小时等于1440分钟（24小时×60分）。

如果将1天设定为90分钟，那么理论上24小时就等于过了16天（1440分÷90分=16天），这样一来，仅用一天就可以收集到两周多的数据。

这种方法比普通的1天1次的数据采集要更高效，同时，还能减少实验成本以及被实验对象受约束的时间。最为重要的是，能够在24小时里采集到不同就寝时间的数据，因此可以模拟出一天之中睡意和REM睡眠的变化。一天中的睡眠，会因时间段的不同而变化吗？

1天为90分钟，其中60分钟处于清醒状态，30分钟处于睡眠状态，然后进行如下的观察。

● 30分钟的睡眠时间里，入睡所需时间是多长？

● 什么时候开始有睡意？会有怎样的变化？

● 夜里的90分钟和白天的90分钟，睡意会有何不同？

实验首先从清醒时间开始，被实验者在60分钟里可以看看书或是做做运动。这期间他们都带着能检测脑电波的电极，同时还会记录他们的眼球运动与肌电图。

60分钟后，进入到睡觉时间，被实验者需要关灯并上床躺

图11　斯坦福大学的"A 90 minute day"实验

概要

· 将一天设定为90分钟，采集24小时即16天的睡眠信息的实验
· 60分钟处于清醒状态，30分钟处于睡眠状态
· 被实验人员为发作性嗜睡患者和健康的人

实验模型

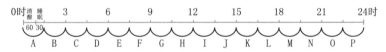

通过"A 90 minute day"实验，了解到（目的）：

· 发作性嗜睡患者REM睡眠的质量（发作性嗜睡的情况下，入睡所需时间极短，而且入睡后很快就会进入REM睡眠，所以能够测定）
· 高效收集信息（1天可以收集A~P16天的信息）
· 能否看到A~P不同时间段睡眠质量（入睡困难度、入睡所需时间等）的变化（适用于一般人群）

下。如果能睡着就睡，在这30分钟的睡眠时间里，也同样需要检测其脑电波等数据。整个90分钟结束后，被实验者起床。像这样保持清醒状态60分钟，再睡上30分钟，"1天（90分钟）"就结束了。

实验发现，在任何时间段里，发作性嗜睡症患者的入睡时间都很短，而且入睡后马上就会进入到REM睡眠的状态。

这些都是之前预测到的结果，更为重要的是，我们了解到健康人群在白天（图中I~J）也会有强烈的睡意，并在REM睡眠阶段出现异常。因为通过实验可以明显发现，即便是在清醒的状态下，到了下午人同样会产生睡意。后来，基于这些结果，斯坦福大学研发出了能客观检测白天睡意的一项检查——"MSLT"（多次入睡潜伏期实验）。

临睡前却不想睡

无独有偶，除了"A 90 minute day"实验外，以色列的睡眠专家佩雷·拉维（Peretz Lavie）对时间进行了更为细致的划分，设计了"A 20 minute day"实验，即13分钟处于清醒状态，7分钟处于睡眠状态。通过这个实验也发现了一些意料之外的事情。

通常情况下，人一直不睡觉的话，体内的睡眠压力就会上升。也就是说，越是不睡觉就越想睡。这样看来，临睡前的睡眠压力应该是最大的，入睡前人也应该是最困的。

但是，通过这个实验发现，平常睡觉时间前的约两个小时内，反而是最难以入睡的。具体表现为，被实验者在平常睡觉时间的前6个周期（天）中（20分×6）难以入睡。如果换算到实际的睡眠中，就相当于是每天凌晨0点睡觉的人，在从22点开始的两个小时里最难入睡。

就像这样，入睡前存在一个大脑会拒绝睡眠的禁区，这也可以被称为睡眠禁区。

禁区理论是拉维于1986年提出的。至今尚未弄明白为何会出现这种现象，但是这一现象确实也得到了其他研究者的证实。

可以想象的是，在睡眠压力上升的过程中，存在一种与之相抗衡的、不断增加以维持清醒的系统。

如果没有这一"系统"的话，大脑就无法忍受睡意。如果没有这种与睡眠压力相抗衡的物质，也就无法解释可以16个小时保持清醒的现象。

可以预想的是，与睡眠压力相抗衡的系统在入睡前表现得最高效，之后其会快速趋弱，让大脑进入到睡眠模式。说到能对抗睡眠压力的物质，第一个候选者就是苯基二氢喹唑啉了。有趣的是，虽然这是一个被实验者人数较少的实验，但也有报告显示体内缺少苯基二氢喹唑啉的发作性嗜睡症患者，其身上并没有发现睡眠禁区。

明天必须早起，怎么办？

通过上面这个实验可以了解到，要是提前关闭脑部开关的话，反而会让自己很难入睡。我们常常会冒出"今天就提前一个小时入睡吧"的想法，抑或当明天早上要很早出门、出差的时候，就想让自己提前上床睡觉，有时候还会想要早点起床，以完成昨天留下来的工作。

但是，提前一小时睡觉就意味着进入到了睡眠禁区，所以会觉得入睡很艰难。当我们理解了睡眠禁区这一现象后，可以按照平常的时间就寝，只是将睡眠时间缩短1个小时，这样才更容易入睡，同时也能更好地保证睡眠质量。

固定时间的睡眠方式虽然很有效，但由于受到睡眠禁区的影响，所以想把睡眠往前挪的话，则是需要花费一番功夫的。

"往后挪动易，往前挪动难"是睡眠的一大特性。

一天中，可以轻松调整的时间范围仅为1个小时。这与适应时差的影响一样，要调整8个小时的时差需要8天的时间。所以，想在一天内就改变睡眠的模式是很困难的。

人为提前就寝的时间，1个小时已是最大限度。但遗憾的是，提前1个小时后就正好撞上了睡眠禁区。

这样看来，在突然遇到明天必须得早起的情况时，最好不要勉强自己，仍然按平常的时间入睡就好，要以努力保证睡眠质量为优先考量。

即便如此，如果你依然想提前1个小时睡觉的话，建议可以有意识地提高自己体温，如比平时提前1个小时洗澡，同时做一做伸展运动这样的简单运动。

严格遵守固定的睡眠作息

不事先研究好"作战策略"的话，是难以做到早睡早起的。想要人为地将就寝时间往前挪也是特别困难的。

除了睡眠禁区外，还有很多因素会妨碍就寝时间的前移。例如加班工作、酒会应酬等这些突发性的事件。

在睡眠世界中，作息规律发挥着重要的作用。

想要确保睡眠质量，首先应固定起床的时间。

即便睡眠时间不足，即便对自己来说非常勉强，也请首先确定好起床的时间，然后再以此来安排就寝时间。连续14至16个小时保持清醒的状态，会让人的睡眠压力剧增，自然就会犯困。

像这样先形成一种模式化的睡眠，接着才是固定睡觉的时间。即使很难保证每天都坚持做到，但也要确定一个基本的睡觉时间。请注意，这里指的并非进入到睡眠状态所需的时间，而是上床睡觉的时间。

确定好了这些以后，哪怕第二天早上要早起，也不需要强迫自己早睡，只需按平常的时间上床睡觉即可。

这样做可以防止撞上睡眠禁区，并且还能提升睡眠质量。当睡觉时间在大脑中被固化以后，也会有助于实现模式化的黄金90分钟。

既有害又有益的"光"

接下来，想深入地谈谈之前提到的蓝光与大脑的关系。

褪黑素是广为人知的一种促进睡眠的激素。早晨的光线会抑制它的分泌（清醒状态），而其到了夜晚则分泌变得比较旺盛。

反过来说，如果夜晚长时间身处便利店等场所的强光下，就会妨碍褪黑素的分泌，从而引起睡眠和体内节奏的异常。

到目前为止，我们都一直使用"强光"这样模糊的表达方式。视网膜可以感知到波长为470纳米的光波，而最近的研究发现，这样的光有助于提高大脑的清醒程度，并提高工作的效率。

同时，这种波长的光也会抑制褪黑素的分泌，所以会妨碍睡眠开关的正常工作。这种光就是前面提到的蓝光。

据说蓝光对视网膜有害，但是与其消极的一面相对的，它也会给各项生理机能带来积极的影响，例如它在"保持清醒"和"提高效率"等方面就发挥着重要的作用。

实际上，美国棒球大联盟的球队也在夜间照明方面下了功夫，如夜场比赛中会采用蓝光来照明，其目的就是能提高选手的清醒程度和运动表现，同时也可以防止他们受伤。

在斯坦福大学，有学生自己设计了一种到了夜晚会自动减少蓝光的电脑程序。也有很多厂商在生产与之类似的产品。

我个人的意见与前述一致，那就是没必要过分在意发光强度较低的蓝光光源，但是也希望各位能认识到其缺点。

睡前应尽量避免去做那些会增加蓝光负面影响的事情（如在漆黑的房间中长时间玩手机等），这才是明智之举。

打造最高效睡眠的"清醒开关"

我们已经阐述了大脑与睡眠之间的关系，其实最重要的还是

"很想睡觉"的感觉。体温、大脑、激素以及自律神经的活动，都是互相关联的。

所以，最理想的状态就是想睡觉的时候就睡，尤其是在晚上感觉到困意时就让自己睡觉，这才是最强大的睡眠开关。

反之，我会在第6章中介绍与困意做斗争的对策。

睡眠中依然还有很多的未解之谜。实际上与睡眠相比，倒是很多与清醒状态相关的秘密已经被解开。

例如，在睡眠过程中较少分泌的类固醇激素，就属于活跃性激素，其具有抑制免疫反应的作用。因此，当夜晚体内的免疫系统比较活跃时，类固醇激素会处于"安静"的状态，而随着早晨的临近，其分泌量也会不断增加。

而像去甲肾上腺素、组织胺、多巴胺等都是清醒状态下活跃于脑内的化学物质。

它们正常活跃时，人的清醒程度就会提高，同时白天的工作效率也会很高，最终实现最高效的睡眠。

因为本书的篇幅有限，所以，无法就激素做更加详细的介绍。但只要打开这些清醒开关，就能让我们在白天拥有较高的工作效率，进而实现真正的优质睡眠。这是因为，"清醒"与"睡眠"二者本就是一体的。良好的清醒状态会造就良好的睡眠，与此同时良好的睡眠也能带来良好的清醒状态。

前面，我们已经着重介绍了实现最佳睡眠的方法，以及良好的睡眠是如何影响到清醒时的状态的。那么，"良好的清醒状态会造就良好的睡眠"，这句话又是怎么一回事呢？

比如说吃饭，不同的进食方式，也会对睡眠质量产生很大的影响。对于睡眠来说，如何度过白天的时光也是很重要的。

在下一章，我们将探讨清醒时的状态会如何影响睡眠，以及从早上起床到晚上睡觉应该采取怎样的行动才能实现熟睡。

第5章

斯坦福终极清醒战略

清醒时的状态，也决定了能否睡得香

"睡眠"与"清醒"互为一体

作为研究睡眠的专家，我也自认是一名"清醒"的专家。

例如，对于发作性嗜睡症睡眠障碍我所研究的治疗对策，并不是抑制突然产生的睡意，而在于开启患者的清醒开关。

换言之，对于睡意，并不是采取忍耐这样的被动防御手段，而是要借助清醒开关来采取进攻手段。正所谓，攻击就是最好的防守。

"睡眠"和"清醒"本就是一个组合。早晨起床后到晚上入睡之间的行为习惯，能造就高质量的睡眠，而高质量的睡眠也会有助于白天发挥最佳的表现。

这样一来便实现了"清醒"和"睡眠"的良性循环。

从早晨就开始失眠

"清醒"和"睡眠"互为一体，如果早上磨蹭着不起的话，一天都会处于困倦中，再加上错误的午休方式所带来的负面影响，就会导致夜晚的睡眠开关无法被正常开启。

只要入睡所需时间变长，人就很难入睡。即便睡着也是处于浅睡眠的状态，同时还会错过黄金90分钟，导致睡眠质量的整体下降，而且第二天清晨还会起不来。这样一来便陷入到了一个恶性循环中。

从对失眠症患者的研究中发现，他们的大脑有可能处于过度活跃的状态。到了夜晚，脑部仍然处于兴奋的状态。我们常会听到"从早晨就开始失眠"的说法，就是因为"睡眠"与"清醒"是互为一体的，大脑的过度活跃从一大早就开始持续了。

可能很多商务人士也处于大脑过度活跃的状态。到了晚上，即便有"那就睡一觉，让大脑休息一下吧"的想法，却怎么也做不到。

因此，如果你现在有睡眠方面的困扰，请试着从早晨开始，改变你清醒状态下的行为吧。

斯坦福大学发现的清醒开关

我们的睡眠是通过体温开关和脑部开关来实现的。

那么，清醒开关又是什么呢？

"刺激神经回路的哪个部位，人就会醒来？""刺激哪个部位，人就会入睡？"对于这样的体系，现在已经研究清楚了。

作为最有希望获得诺贝尔奖的候选人，斯坦福大学的卡尔·戴塞罗斯（Karl Deisseroth）由于其尖端的研究而受到了世界的瞩目。

他是光遗传学研究领域中的先驱。他从事的研究是，在目标神经细胞群中发现能对光线产生反应的物质，通过在脑部植入细小的光纤维，并把光线投射到其上，以此来控制脑部的神经细胞，使其处于兴奋或镇静的状态。

简单来说，以往只能通过给大脑带上电极，并给予电刺激才能观察到的反应，现在只需要光照便可以知晓。

实际上，我们曾经也对老鼠做过用光线控制清醒和睡眠状态的实验。

前面介绍的具有清醒作用的苯基二氢喹唑啉，是由两个研究所同时发现的，所以有两种不同的命名。圣地亚哥的斯克利普斯研究所的露易斯·迪莉西娅（Luis Delicia）发现的下丘脑泌素（hypocretin）就是另一种命名。

我和SCN研究所的藤木通弘教迪莉西娅用老鼠来记录睡眠的方法。迪莉西娅还在戴塞罗斯的支持下，在下丘脑神经肽神经细胞中发现了对光产生兴奋反应的受容体，并对其进行光线刺激的实验。结果显示，一直处于睡眠状态的老鼠立马醒了过来。老鼠的下丘脑神经肽神经细胞在遇到光线的刺激时，会出现清醒反应，这一发现在世界上还属首次，相关研究结果也发表在了*Nature*杂志上。

顺便说一下，如果用同样方法找到对光产生抑制反应的受容体，并对其进行光线刺激，老鼠也可能会立马睡着。

科学就是这样在不断进步。

但是，"现在想睡觉了，所以通过光线刺激来关闭清醒的神经元""现在通过光线的刺激睡上3个小时，然后再通过光线的刺激舒畅地醒来"像这样的事情，商务人士目前还无法做到手到擒来。也许将来有可能实现，但在这之前更值得期待的是其在帕金森综合征以及肌萎缩侧索硬化等神经性疑难杂症的治疗上的运用。

现阶段，运用理论在不借助任何特殊道具的情况下开启清醒开关，也是非常有可能的。接下来，就向各位介绍具有科学依据，同时能实现优质睡眠的清醒开关，希望各位能在日常生活中有意识地实践一下。

最为关键的清醒开关有两个。

它们是光和体温。

清醒开关① 光

人的昼夜节律约为24.2小时。我们之所以能与地球自转的"24小时"保持同步，就是因为有光的存在。

那么，如果没有光的话，会变成什么样呢？

老鼠的昼夜节律少于24小时，其中有的只有23.7小时。

将这类老鼠放置于无光的环境中，由于其按照固有的节奏生活，所以刚开始的时候，每天醒来的时间都会比前一天提前18分钟。因为没有了光线后，体温的变化就成了"生活开始"的唯一信号。所谓"生活开始"也就是和人类一样，起床、洗脸、吃早饭。

而作为夜行动物的老鼠，在这样的环境中连续饲养一个月后，竟然也会在白天活动了。

我们将不受地球节律的影响，仅通过生物钟来维持生活的状态，称为自由运行状态。

如果完全没有光的话，人同样无法正常生活，甚至还会有精神错乱的可能。所以，我们在仅能进行简单活动的微光环境中，进行了自由运行实验。因此并不能完全消除光的影响，而以前也常有"人的体内节律为25小时"的说法。

与之相比，现在的24.2小时短了许多。

光线变化造就了"早、中、晚"的变化。而随着季节的改变，夜晚会变长或变短，但是"以24小时为1个周期"是维持不变的。

没有光的话，我们就意识不到早晨和夜晚的到来，体温、自律神经、大脑和激素活动的节奏会被打乱，身体状况将变得很糟糕。

奈良县立医科大学的佐伯圭吾和大林贤史对住在平城京的1000名老年人进行了调查。

为了收集信息，他们将白内障患者分为"接受手术治疗"和"未接受手术治疗"两个组，结果发现"接受手术治疗"的人其认知机能良好。这也充分证明光的刺激会给大脑的活性化带来影响。

同时，该调查还揭示出了一个独特的信息，即夜晚小灯泡的光会增加肥胖和类脂代谢异常的风险。

对于如此重要的光，我们平时只需要打开窗户就能获得。所以，请一定要养成早上晒太阳的习惯，哪怕几分钟也好。雨天、阴天即便没有太阳光，也会有可以影响体内节律和清醒的光线到达大脑，所以同样是没问题的。

清醒开关② 体温

体温主要受昼夜节律的影响。睡眠过程中体温会下降，而清醒状态下则会上升。重要的是，不要因为外部因素而打破这样的节律。

清醒状态下提高体温，打开清醒开关，这是确保良好清醒状态的关键。

可以说，是光和体温共同造就了良好的清醒状态，但除此之外，激素和神经传导物质也起到了一部分作用。接下来，想介绍一下有助于开启清醒开关的行为习惯。如果从早晨开始能按顺序去实施的话，就一定能确保当晚的睡眠质量。

斯坦福清醒战略

清醒战略① 设定两个闹钟

"睡醒时整个人觉得很舒服"——这在实现最佳睡眠的清醒过程中，是不可或缺的序幕。

虽然存在个体的差异，但人类睡眠周期基本是以90分钟左右为一个循环的。随着清晨的临近，非REM睡眠减少，REM睡眠增多。体温稳步上升，交感神经开始处于主导地位。

此外，清晨时分，在血糖的调节等方面发挥着重要作用的皮质醇的分泌量增加是很值得关注的。皮质醇的分泌在黎明时会迎来高峰，而到了上午则会逐渐减少，在睡眠的前半段基本就不再分泌。所以，清晨醒来前分泌量变多，被认为是为白天的活动做准备。

那么，在大脑和身体为"清醒"做准备的哪个阶段起床，才能有一个良好的清醒状态呢？

在前面我们介绍过，入睡后以90分钟为倍数的时间（即REM

睡眠的时间）起床，大脑将更清晰，同时也感觉很爽快，这个说法，在很多人的脑中可谓根深蒂固。

这其实是20世纪70年代的一份研究报告，当时做了相关实验以研究何时起床会感觉爽快，之后工作的效率会提高。结果显示，在清晨REM睡眠阶段起床会比较好。于是，这个说法就普及开了。

但实际上，这种睡眠循环有着个体化的差异，因为不是那么有规律，所以是无法进行事前预测的，我想这一点各位也是认同的吧。不得不说，这个"90分钟倍数"的说法过于草率。

大家无须过分在意，因为本来黎明时REM睡眠的持续时间就会变长，所以，人们大多会在REM睡眠状态下或之后自然醒来。

更何况，要检测REM睡眠于何时出现是比较难的。而且，在普通家庭的床边摆上测量肌电图、脑波、眼球运动的设备是不现实的。

现在有测量睡眠深度的睡眠APP和手表式装置，其中还有运用了该理论的叫醒功能，但是就现阶段来说，其仍然无法准确监测出REM睡眠。

在此我要推荐的是一种设立"起床空窗期"的做法。

具体来说，就是设置两个闹钟。

做法很简单，假设早上7点必须起床的话，就可以将闹钟时间分别设定为6点40分和7点。6点40分到7点之间的20分钟，就是所谓的起床空窗期。

早晨REM睡眠的时间变长，而从"非REN睡眠"转变为REM睡眠的时间约为20分钟。这一方法就是瞄准了这个时机的作战策略。

在实践过程中，请注意第一次的闹钟，要选择音量小且时间短的铃声。

因为，REM睡眠状态下很容易醒来，所以哪怕很小的声音，也能轻易使人醒来。如果你能留意到小声的闹铃，就意味着是在REM睡眠状态下醒来的，所以应该会对此感觉很舒服。

第一次闹铃响起时没有起来也没关系。因为这时如果没有醒来，是因为还处于深度的非REM睡眠过程中。假设音量过大，在非REM睡眠状态下醒来就会感觉很不舒服。

哪怕错过了闹铃，也不用担心。7点钟的第二次闹铃响起时，应该能顺利醒来了。

通过设置两个闹钟的方法，当第一个闹钟响起时，如果你正处于非REM睡眠状态的话，将能帮助你有效地跳过"糟糕的起床状态"。根据不同条件下的统计结果显示，这种方式可以让REM睡眠阶段下起床的概率提高至原先的1.5倍。

或许有人会认为有贪睡功能的闹钟就够了，但我个人并不建议这样做。因为重复的闹铃，中间并没有留出充足的时间，在起床困难的非REM睡眠状态下多次响起铃声，起床时的感受会很不舒服。

早晨5点至7点的时间段内，REM睡眠会呈现生理性的增加，所以，醒来时感到舒服的概率会相当高。

"公司是弹性上班制，所以想睡到9点"这样的做法是不推荐的。因为，皮质醇已开始分泌，体温已经上升，你的身体已经为起床做好了准备，这时即便睡也睡得不好。早晨的阳光以及饮食等是形成身体节奏的关键，如果坚持这样的生活模式，就会眼睁睁看着自己的身体节奏被打乱，我将在后文中进行更详细的介绍。

此外，"早晨醒得早，但就是不想离开被窝"这也是抑郁症的一种前兆。在被窝中，不安和紧张的情绪会越来越强，还会时常思考一些毫无依据的事情，所以请务必注意这一问题。

清醒战略② 远离诱惑睡眠的物质

清醒后，体温很自然地就会上升，此时马上开始活动的话，能促进体温开关的顺利打开。

但是，为了防止血压突然升高，高血压患者最好不要醒来后立马起床，应该慢慢地从床上坐起来。

起床后，无论天气如何都要沐浴一下清晨的日光，这是在任何情况下都不可缺少的行为习惯。极其简单却特别有效。

晚上工作、白天睡觉的软件工程师，很难过上与日光有联系的日子，很难与"24小时"的地球节律保持同步。人类原本的昼夜节律为24.2小时，所以渐渐就会出现时间上的错位。

典型的就是盲人的状况。视网膜受到损害的全盲患者，其无法感知到"光"，因此生活渐渐处于自由运行的状态，出现倒退现象。白天睡觉，晚上不睡的状态能持续好几天，然后再恢复到以前的状态。就这样反反复复，无论是对家人来说，还是对其本人来说，都是非常痛苦的事情。

但是，1991年俄勒冈健康科学大学的罗伯特·萨克（Robert L.Sack）和艾尔弗雷德·莱维（Alfred J.Lewy）等发表报告说，给这样的患者服用了褪黑素后，自由运行的状态会消失，能与"24小时"保持同步，夜间也能正常就寝。

通过这样的研究，让在睡眠、身体节律中发挥重要作用的褪黑素，一举受到了广泛关注。

它无须处方就能简单买到，所以现在在美国是销售额约200亿日元的高人气营养品。以前，褪黑素需要从猪脑的松果体中进行提取、精制，现在生产的则是更安全的合成褪黑素营养品。

但是，褪黑素营养品对有的人有效，对有的人无效。

服用褪黑素营养品有效的多为老年人。随着年龄的增加，褪黑素分泌量逐渐减少，对光线刺激的感受性会因年龄的增加而变弱，所以，褪黑素分泌的节奏就会被打乱。

总之，年轻且没有视力问题的人，即便不服用营养品，也能分泌出自给自足的褪黑素。比起简单地依靠营养品，最好能转变意识，只要养成良好的行为习惯，就相当于免费获得了调节褪黑素分泌的能力。

褪黑素具有调整体内节律、促进睡眠的功效，所以在清醒的状态下必须抑制它的分泌。

在抑制褪黑素分泌方面发挥着重要作用的就是太阳光。

当然这并不是说只能够通过太阳光来抑制褪黑素。只是现阶段相关的研究还在进行之中，要运用到实际生活中还尚需时日。

因此，请大量运用离我们最近的太阳光吧。

无论是太阳光还是人照光线，我们都是通过眼睛来捕捉这些光线的。人的视网膜上有一种叫"黑视蛋白"的接受体，它能感知到波长单位为470纳米的光线，这能抑制褪黑素的分泌。

这种现象与视觉成像的原理不同，所以即使眼睛不直视太阳，也能有沐浴日光的效果。

关于黑视蛋白可以调节褪黑素的相关研究发表，已经是15年前的事情了。虽然不是最新的研究成果，但是公众对其认知度还很低。不过，正因为是未来的热门领域，所以其在清醒状态方面的作用仍备受期待。

清醒战略③ 光脚有助于保持清醒

上行性网状结构是指位于脑干中心的各种纤维呈网状分布的结构。通过动物实验得知，这个部分一旦被破坏，就会陷入昏睡的状态。

反过来说，就是刺激该上行性网状结构就会清醒。

例如，在听觉、视觉上的刺激，就会让上行性网状结构活性化。各位夜里都被急救车、警察的鸣笛声吵醒过吧。有时漆黑的房间突然变亮，也会让睡梦中的孩子醒来。

有效利用这一特性，早晨通过刺激感官，让自己畅快地醒来吧。

很多人在家都会穿拖鞋，但其实刚起床的时候，可以试试让自己光着脚。非常简单的做法，却具有两大效果。

一个就是直接接触到地板，会给皮肤带来刺激，能让上行性网状结构处于活跃的状态。

另一个就是光脚会导致体表温度下降，由于昼夜节律影响而自然上升的体内温度与体表温度的差距就能进一步拉大。这是利用了体表温度和体内温度差距缩小人就会犯困这一特性。

特别是到了冬天，人们都不愿意触碰的洗面池或冰凉的地板，其实都可以成为清醒开关，所以请务必尝试一下。

清醒战略④ 洗手让人清醒

早晨起床后洗脸，这是谁都会做的事情。但是，在这方面稍微下点功夫，也能顺利打开清醒开关。

首先，为了让大脑清醒，建议用冷水洗手。早晨体内温度处于上升状态，所以，这么做的目的就是让手接触到水后，体内温度与体表温度的差距缩小。

顺便说下，刷牙时也可以保持用冷水的习惯，即便冷水对于体内温度的影响相对有限，但还是能起到一定的恢复活力和提神的作用。

很多人都有早晨起来泡澡的习惯，但是我不太建议晨间泡澡。

或许有人会认为沐浴后，体温上升，整个人处于活跃的状态，这不是很好吗？要知道体温有着上升过多后会下降更多的特点。

如前所述，在40℃的洗澡水里泡15分钟的话，体内温度会上升0.5℃左右，体温这样大幅提高后不久就会下降，人就会犯困。

因此，我还是建议进行晨间淋浴。

通过淋浴体会到畅快感，有助于顺利开启脑部开关。在振作精神、调动工作积极性方面，也发挥了一定作用。

清醒战略⑤ 咀嚼有助于强化睡眠和记忆

"早晨起床后，感觉肚子饿了"。这是睡眠质量优质与否的一个标志。

当整个身体全部"醒来"之后，内脏再开始工作才是比较理想的状态。所以清晨起床后，最好先沐浴阳光，然后淋浴，接下来再开始吃早饭。当然，很多人早上的时间很紧张，有时会先洗个脸，然后一边沐浴着阳光一边吃早饭。

早饭在体温上升、调整好一天的节律并开始活动的"能量补给"方面发挥着重要作用。

早稻田大学的柴田重信等人通过老鼠实验发布了这一报告。不吃早饭、只吃晚饭的老鼠和两餐都吃但晚餐吃得更多的老鼠，二者都比较容易发胖。总之，吃早饭具有重置生物钟和防止肥胖等作用，真可谓是一石二鸟。

顺便说一下，这20年来我的早饭都是白米饭配大酱汤和熏肉蛋。温热的大酱汤能温暖身体。无论是汤还是酱汤，其汤汁都能让体温上升，所以为了促进清醒的状态，在早饭时食用是比较好的。而且，吃美式酥脆的培根时，必须大力地咀嚼，我觉得这样也能给大脑以刺激。

"咀嚼"这一动作非常重要。SCN研究所的姊川绘美子和酒井纪彰用老鼠做了一个关于咀嚼与体内节律、睡眠的实验。

在饲养老鼠的过程中，通常投放的是固体颗粒，它们喜欢将颗粒咯吱咯吱咬碎了吃。实验中，将平常的颗粒和用搅拌机粉碎过的颗粒粉末投放给老鼠，以此深入调查它们的睡眠和行为模式。

通过比较发现，将颗粒咀嚼后食用的老鼠，其睡眠和行为方式在昼夜间有着很大的不同。相反，食用粉末无须咀嚼的老鼠，则没有这种昼夜差异，活动期的睡眠时间，也比普通的老鼠要多，在原本应该清醒的时间里，无法表现出有活力的状态。

此外，进食时不咀嚼的老鼠，还有可能在记忆方面受到负面影响。

大脑中有成千上亿的神经细胞，但是以前人们认为成人后神经细胞会逐渐减少。

但事实上，成人后大脑里会出现神经新生现象，这时会产生新的神经细胞。一般认为通过运动会让此现象有所增强。

因此，无论是成人还是老人，常常会被建议经常咀嚼，与此同时还能增强记忆力。而这在咀嚼进食的老鼠身上也得到了确认，大脑中负责记忆的海马区会出现神经细胞新生现象。反之，进食时不咀嚼的老鼠，其海马区神经细胞的再生现象会减少。

更有甚者，进食时不咀嚼的老鼠会逐渐比咀嚼的老鼠胖。这的确可以说是老鼠的生活习惯病。

这是一个重大的发现。人们常说咀嚼和记忆有关，但是发现咀嚼会影响睡眠、行为方式还是首次。日本的媒体也对部分研究结果进行过报道。

之所以做出咀嚼的动作，其实是大脑所发出的指令。咀嚼时，三叉神经会给大脑带来刺激。细嚼慢咽将有助于让我们一天中的状态，变得张弛有度。

吃饭时不细嚼慢咽的人，就没有"清醒"与"睡眠"的状态差异，记忆力也会衰退，同时还会变胖。总之没有任何好处。

"咀嚼"与"睡眠"的联系如此紧密，所以，请保持细嚼慢咽的习惯。

清醒战略⑥ 尽量避免汗流浃背

现在，早晨慢跑已经成为了一项世界性的习惯。无论是在美国还是在日本，每天都会看到跑步的人。

跑步的话，早晨比晚上要好。慢跑、做运动等都有利于让交感神经处于主导状态。因此，早晨慢跑有助于让整个人切换到活动模式。

但是，如果运动量过多而疲惫的话，做重要工作时的效率就会降低。有时，激烈的运动还会引起肌肉疼痛、关节疼痛，反而对身体是有害的。

最大的问题还是体温上升过多。体温因运动而上升，这有助于切换到活动模式，从这个角度来看是没问题的，但体温过度上升，就会引起出汗等热量释放现象，这时体温会下降到比原本的体温还低的水平。这就是睡意来袭的信号。其道理与晨间泡澡是一样的。

晚上安然入睡，早晨舒畅起床，好不容易与体温的节律相吻合了，而激烈的运动有时却会打破这一状态。

所以说，任何事都不能过度。出于对身体的考虑，更推荐快步走这样的运动。至少不要进行会让人汗流浃背的运动。

清醒战略⑦ 咖啡带来的远不止咖啡因

商务人士平均一天都会喝好几杯咖啡吧？也许听起来有些多，但有的人确实会喝掉5杯咖啡呢。

2015年，欧洲食品安全局（EFSA）指出，成年人一天的咖啡因摄取量在400毫克以内是安全的，因此5杯咖啡是在容许范围内的。

有报告指出适量饮用咖啡有利于身体健康，会降低患Ⅱ型糖尿病、肝癌、子宫内膜癌等的风险。

但我们还是应了解一下咖啡因会给睡眠带来的影响。

血液中的咖啡因浓度要达到一半，需耗时约4个小时。

有报告显示，在睡前1个小时和睡前3个小时分别喝一杯咖啡，会导致入睡所需时间延迟10分钟。同时，睡眠时长会缩短30分钟。

特别是老年人本身睡眠变浅，肝脏代谢咖啡因的能力下降，所以很容易受咖啡因的影响。因此，深夜想喝咖啡的时候，建议喝不含咖啡因的低因咖啡。

平时喝很多咖啡的人，建议从傍晚开始改喝低因咖啡。

虽然存在个体的差异，但我给自己定的规矩就是上午6点一杯、8点一杯、10点一杯，下午2点左右一杯。如果晚上有聚餐，并且在餐后喝过咖啡的话，晚上回家就不再喝了。

从提升白天的效率、打开清醒开关的角度来说，建议商务人士多多去买外带咖啡。咖啡因确实能加快基础的代谢，并且能把身体切换到清醒模式。不过，当其与其他的刺激同时作用时，效果更值得期待。因此，我们还可以加上"与他人对话"这样的感官刺激。

在办公桌前默默地冲上一杯咖啡喝，这只会带来咖啡因的刺激。而上班前顺路去咖啡店点一杯的话，就会加入"与他人对话"的刺激，而顺带与公司同事闲聊几句的话，甚至能带来更好的效果，这能让清醒开关顺利被开启。

咖啡因能够帮助我们驱散睡意与疲惫，同时也能与长时间清醒所累积的睡眠压力相抗衡。因此，在午饭后和下午的时间段内，其都能发挥出效果。

清醒战略⑧ 改变做"重要工作"的时间

我早上6点到办公室，开始独自工作。

这样的话至少在9点以前，我可以在既没有来电也没有预约来访的环境下，集中注意力处理工作。需要下决定的事情以及棘手的事情，即便在前一天夜里做好了处理，但一夜过去，在好好休息过后的清晨，可以再考虑一遍，否则经常会有"晚上慌忙回复或发出指示后，第二天又后悔"的情况发生。

同样，重要的讨论也尽可能放在早上进行比较好。

此外，在写论文时，决定如何下笔、如何撰写大纲等这些重要的事项，也最好在清晨时专心完成。

用脑的工作、重要的工作都尽可能集中在上午完成，这才是明智之举。

午饭后，慢慢转变到简单的工作模式。让大脑渐渐放松，这也有利于晚上的睡眠。

简单的会议能让人重振精神，所以很适合在午餐后举行。另外，类似搜集参考文献或做调查工作这样的，费事但不需要过多思考的工作，也适合在下午来做。

如同走在缓慢的下坡路一样，是一种模式化的动作，只需保持好自己的步调即可。

为了不让大脑因琐事而兴奋，我的一位友人在傍晚需要结账时，都会选择用信用卡而不是现金。

"积攒零钱"常常被认为是患痴呆症的征兆。所以，作为治疗对策，医生常会建议患者积极使用零钱算账，以此来刺激大脑。但对于夜晚的睡眠来说，还是尽可能不要让大脑工作比较好。

总之，有利于睡眠的做法，刚好与痴呆症的治疗对策相反。睡眠质量良好，对大脑来说才是有利的。因此，为了尽可能不用大脑，夜晚用信用卡埋单是有助于当天的睡眠的。

清醒战略⑨ 不吃晚饭也会影响睡眠质量

清醒物质——苯基二氢喹唑啉是大脑中名为下丘脑部位的细

胞释放出来的。不吃饭会促进苯基二氢喹唑啉的分泌，而吃饭则会导致苯基二氢喹唑啉的水平低迷，人的清醒程度也会下降。

1998年，得克萨斯大学的樱井武、柳泽正史（现就职于筑波大学国际综合睡眠医学研究机构）等人发现了一种新的物质，并做了相关的动物实验。实验发现，将新发现的这种物质注射到大脑脑室内，动物就会开始摄取食物。这种摄取食物的行为，正是"苯基二氢喹唑啉"这个名字的由来，这堪称世界性的发现。

因为减肥不吃晚饭，结果导致晚上睡不着，不仅如此，到了深夜还得吃更多。很多人都有这样的经历吧。另外，还有像熬夜时肚子会特别饿的经历吧。

以前在斯坦福大学以学生为研究对象做"叫醒实验"时，学生们常抱怨肚子饿，结果研究人员深夜还得跑去超市买吃的。这事直到今天还是一笔谈资。

之所以出现这一现象，苯基二氢喹唑啉在其中发挥了一定的作用。

苯基二氢喹唑啉在控制食欲的同时，也会给清醒状态带来较强的影响。不吃晚饭的话，会促进苯基二氢喹唑啉的分泌，使人食欲大增，整个人太清醒而睡不着觉的可能性随之变大。

不让动物进食的话，其寻找食物的觅食行为就会变得很显著。但是，患有发作性嗜睡症的老鼠由于不分泌苯基二氢喹唑啉，所以即便不给食物，其"觅食行为"也不会明显增加。这就说明了食欲与睡眠的关系。

苯基二氢喹唑啉甚至还会导致交感神经活跃、体温上升。

总之，不吃饭的话，不仅会导致苯基二氢喹唑啉增加、食欲旺盛、睡不着觉等问题，还会使自律神经紊乱，给所有的问题以可乘之机。

对于"睡眠"和"健康"来说，不吃晚饭可谓有百害而无一利。

无论多晚，都要在睡前1个小时吃好晚饭。油炸食品等不易消化的食品，需要花费更多的时间来消化，所以最好晚餐时不要吃。

清醒战略⑩ 冰镇西红柿有助于促进睡眠

为了夜晚睡得舒服，晚饭时食用能降低体内温度的食品也是一种方法。

比如说，身边常见的冰镇西红柿。将性寒的西红柿冰镇后食用的话，体温会下降。在食谱网站上有各种各样别出心裁的冰镇西红柿的做法，非常方便。

另外，听说在南方，人们为了降低体温会喝黄瓜汁，但我还没有喝过。

这并不是说吃了冰镇西红柿，就一定会睡着。这终归只是一个辅助的手段。可以说，在入睡时降低体温这个方面，没有什么方法能胜过沐浴的。

有很多像西红柿一样利于睡眠的食物和饮料。亚洲有中药，欧洲有数百年使用缬草、春黄菊等香草的历史。

那么，这些到底是有助于睡眠还是有镇静的效果呢？它们能有多大的效果？对此还有很多有待验证的地方，但若完全没有效果的话，肯定早就被淘汰了，所以我认为，"一直被使用"的事实也证明了其具有一定的效果。但副作用大的营养品，即便其有效果也会被淘汰。

反过来，有很多突然上市的、宣扬"有科学依据的食品"，却并没有被验证过。

我们已经弄清楚了可促进睡眠、调整体内节律的褪黑素是如何形成的。

具体来说，其是由色氨酸这种物质形成的。色氨酸可以转化成5-羟色胺，进而形成褪黑素。所以常听说食用含有色氨酸的鱼、肉、大豆食品可以有助睡眠。此外，市场上也有含这种成分的营养品。

不过，虽然我们能选择吃什么，但是不能基于自己的意愿来选择食物的用途。

例如，作为个人来说，为了睡眠而吃的大豆食品，有时也会使肌肉增强。再如骨胶原被认为可以让皮肤变好，但美肤骨胶原营养品有时也被用于内脏创伤的治疗。

身体决定用途。基于这个事实，为了更好地睡眠，最好有意识地均衡摄取蔬菜、肉、碳水化合物等。这样一来，无须依赖营养品和维生素也能睡得香。

清醒战略⑪ 饮酒有助于黄金睡眠

很多镇静类安眠药都具有强化γ-氨基丁酸这一脑内物质功能的作用。

γ-氨基丁酸是一种氨基酸，是具有抑制性作用的神经传导物质，其广泛分布于大脑中。

在清醒状态时，一些神经传导物质的活动会较频繁，而在睡眠状态下，活动频繁的物质就比较少。γ-氨基丁酸就是极少数在睡眠时会活动的神经传导物质。如果能利用安眠药，从外部对γ-氨基丁酸进行强化的话，其产生的睡眠导入效果和睡眠维持效果将是值得期待的。

不过，γ-氨基丁酸也有抗焦虑、抗痉挛、舒弛肌肉等作用，因此吃安眠药也可能会引起意识模糊。同时，因四肢无力、步履蹒跚，也会导致摔倒、骨折等问题。这些都是 γ-氨基丁酸类安眠药的副作用。

在老款安眠药中，有一种巴比妥类药物，其主要就是靠强化 γ-氨基丁酸的作用来起效的。因为麻醉性药物本身就有抑制呼吸的药效，所以一个时期里，因其导致的自杀案件层出不穷。其中最有名的事件就是，芥川龙之介[①]因为大量服用该药物，在35岁时自杀。

酒也会对 γ-氨基丁酸产生影响，它的作用与巴比妥类药物非常类似。

酒既有催眠的作用，也有让人放松的作用，但是饮酒过度的话，严重时会出现窒息的情况。希望大家能认识到，酒与安眠药的药效一样强，所以也是具有一定危险性的。

酒精过量会阻碍REM睡眠的出现，同时还会妨碍深度非REM睡眠的出现。喝啤酒的过程中会摄取大量的水分，再加上酒精本身就具有利尿的作用，所以，半夜会因为想上卫生间而醒来，这会妨碍深度睡眠的形成。另外，还会出现脱水等症状，导致睡眠质量低下。

结果就是，饮酒过量导致黄金90分钟消失，睡眠质量变得糟糕，第二天早上起来时也不舒服。如果是宿醉的话，在各种负面影响的综合作用下，会让第二天的表现变得特别糟糕。

---

① 芥川龙之介（1892—1927），日本小说家。代表作有《罗生门》《竹林中》《鼻子》等。——译者注

为了实现优质的睡眠，饮酒量一定要少。因为有与安眠药一样的成分，所以只需少量饮用，就很容易让自己入睡了，而且也能确保睡眠质量。这里说的"少量"指的是酒精的度数，虽然量的多少由体重来决定，但折合成日本清酒的话，一般就是100毫升至150毫升。

在睡前100分钟喝100毫升的话，可以有助入睡，而且也不会妨碍到第二天的状态。200至300毫升的话，通常需要3个小时来分解酒精，所以我个人建议能在睡前的2至3个小时喝完。

如果是像之前所介绍的歌剧演员一样，作为睡前酒独自饮上一口的话，可以在睡前喝，其对 γ-氨基丁酸的作用在短时间内就会显现，所以和睡前吃安眠药的感觉是一样的。

特别篇　消灭时差影响的斯坦福出差策略

因为学术会议和临时回日本等原因，我一年中会多次到国外出差。

"时差"是人类坐飞机外出时第一个会遭遇到的问题，这是由于体温等体内节律与昼夜这样的地球节律无法保持同步所造成的状态。

一般来说，适应1个小时的时差需要1天的时间。也就是说，时差如果有7个小时的话，需要7天才能让自己调整至同步。"体温"与"表现"是成正比的，所以，在时差的影响下，工作质量也会下滑。此外，因为时差的关系，就寝时体温过高，入睡会变得困难。

2011年，斯坦福大学的研究团队发布了关于光的照射对体内节律的影响的研究。

被实验者在入睡时，接受本人无法察觉的短时间（毫秒）光照，结果体内节律出现大幅后退。这种光就是我们在介绍蓝光和褪黑素时提过的470纳米的光波。

目前，我们仍在对光照的强度和时机，做着进一步的研究。结果一旦发表的话，将能应用于对时差影响的调整。同时，也非常有利于对北欧地区"季节性感情障碍"这一抑郁症的治疗。

此外，2013年，京都大学的冈村均等人成功改变了老鼠的遗传基因，以此阻止了时差影响的出现。

生物钟机制中，在名为视交叉上核的部位含有很多的精氨酸加压素物质。一旦其发挥受到阻碍，那么当环境发生明暗变化时，生活在其中的老鼠的行为节律变化会完全消失，这一研究结果发表在了*Science*杂志上。

通过这一发现，可以期待今后研发出针对时差影响的特效药。

目前的状况是，为了预防时差带来的影响，建议大家除了在乘坐飞机的期间外，甚至在出发之前就可以试着按目的地当地的时间，来安排自己的活动。我感觉特别是在临出发前，按照目的地当地时间来决定是否用餐，还是比较有效果的一个方法。

也就是说，即便在日本已是晚餐时间，但如果按目的地时间还不到饭点的话，就可以不用吃东西（反之也是一样）。

头等舱和商务舱的乘客，可以在航空公司的休息室中享用饮料和小吃。似乎很多去国外出差的商务人士会预先在休息室中简单吃点儿，登机后不吃航空餐。也有人会计划好自己的用餐时间，然后拜托乘务员按预定时间提供餐食。

作为一项服务，航空公司都会提供航空餐，但是不按照目的地时间来计划自己的行为，大吃大喝反而会有很多缺点。

我自己也有被升到头等舱后特别开心，结果吃太多，导致状态变得很糟糕的经历。

当然，如果是旅游的话，就可以尽情享受美食和美酒了。

但是，带着工作任务去国外出差的话，为了防止时差的影响，建议在出发当天尽可能比照目的地的时间来安排活动（特别是和苯基二氢喹唑啉有关的用餐活动），同时不建议吃航空餐。

与睡眠相关的大烦恼

决定睡眠的不是"量"，而是"质"。

最初的90分钟是决定胜负的关键。

控制体温和脑部开关，实现黄金90分钟。

而且，清醒时的状态也与睡眠有着很大的关联。

到此为止，我们已经深入了解了会对你的人生产生深远影响的睡眠问题，并且也知道了高效睡眠的关键——90分钟。此外，还介绍了能加深90分钟睡眠的"体温"与"大脑"两大开关的操作方法，以及打开白天"清醒开关"的方法。

这样一来，你的睡眠应该能达到史上最佳状态，而白天的你也应该能体验到从未有过的良好状态。

那么对你来说，与睡眠有关的最关键问题又是什么呢？

睡不着？起不来？还是总在做噩梦？

或许有人会表示同意，但是也有很多人持不同看法。

对于很多人来说，眼前的问题恐怕是睡意。像"白天想睡觉"这样，有很多人在清醒状态下会犯困。如果能掌握本书中的知识与方法，睡眠质量确实会上升，错误时间里的睡意就会变少。

但是，可能对你来说，还存在着"第二天的睡意"问题。或许，在提升睡眠质量之前，我们必须想办法去消除那种状况下的睡意。

撰写本书的初衷并非是针对睡意这一问题。而且，作为驱除睡意的办法，在其他的睡眠书籍中常常建议进行午休。但实际的问题是，即便知道午休很好，也很少有人有条件进行午休。例如，在重要会议中犯困的话，你该怎么做呢？

不午休的话，如何才能战胜"第二天的睡魔"呢？

作为"睡眠之旅"的最后一站，我们将科学地了解一下睡意。

正如清醒战略⑥中所介绍的那样，避免体温的急剧上升，可以防止睡眠开关被打开。

那么，在最后这一章里，我们将一起寻找"驱赶睡意的速效药"，无论多么无聊的会议，都能让你保持清醒到最后。

第6章

能控制睡意的人，
也能掌控自己的人生

"睡魔"是敌还是友？

为何在夜晚以外我们也会犯困？

作为这趟睡眠之旅的最后一站，本章将对一直令商务人士感到烦恼的睡意，进行深入的讨论。

揭示睡意的本质并研究如何将其化解，这也是我对发作性嗜睡症进行研究的主题之一。我将会与大家分享我在这一领域的研究成果，并对实际的行动提供一定的指导。

虽说人可以做到连续16个小时不睡觉，但就"睡意"这个概念严格来说，指的还是无法维持长时间清醒的一种状态。

发作性嗜睡症患者的话，会频繁地感到睡意来袭，而其进入到睡眠状态的时间也极为短暂，只需1至2分钟就能睡着。因此，一天之中整个人看起来就好像是一旦出现了睡意就会瞬间睡着，完全不存在过渡的时间。

发作性嗜睡症的一大特征，就是利用短暂的午休可以暂时消除睡意。但是，效果却并不持久，差不多维持2个小时，之后令人难以抗拒的睡意，就会卷土重来。

健康的人只要不是极端的睡眠不足的话，一天之中并不会遭遇接连不断的睡意的，而且从清醒到睡着的状态，这中间怎么也是需要一些时间的。

在前面介绍过的斯坦福大学"A 90 minute day"实验中，也曾对发作性嗜睡症患者与健康人进行过一些对比。结果显示，即便是健康人，在1天之中，到了下午2点时也会变得特别容易犯困。下午的睡意会让人感觉昏昏沉沉的，这被称为"午后消沉"（Afternoon Dip）现象。

出现这种现象的原因，大体上有两点。

其一，因睡眠负债导致睡眠压力的增加。

其二，因昼夜节律或90~120分钟的"亚昼夜节律"等体内生物钟方面出现的问题。

无论是上述哪一方面的原因，因睡意来袭而给我们带来的困扰，主要有以下三种：

- 早晨起床后仍感到睡意犹在。
- 午饭后睡意来袭，导致午后消沉。
- 一天之中，如遇到无聊的会议时常会感觉到睡意。

不管怎样，事先充分掌握有关睡眠的知识，能让我们更好地

应对睡意并采取行之有效的对策，所以首先还是依次来探究其产
生的原因。

为何早晨起床时会感到不清醒呢？

虽然已经睁开眼睛并从床上坐了起来，但仍感觉睡意犹在。
明明早上的时间很紧张，要晒一晒早晨的阳光，还要洗个淋浴，
吃早饭，可是自己就是不愿意动，只想这样一直在早晨的阳光下
睡着……

新的一天在这样的状态下开启，这背后又隐藏着些什么呢？

首先，能想到的是慢性睡眠不足，有睡眠负债。要知道，即
使睡眠时间真的不够，也是无法通过"再多睡一会儿"的方式来
还清这些"负债"的。

其次，这种状态与短暂的午休一样，也是无法令人头脑变清
醒的。

"小睡"的效果最近一段时间经常被人提及。确实，对于发
作性嗜睡症患者来说，短暂的午休能够使其恢复清醒。但是，如
果是因睡眠负债而导致的睡意，那么短暂的午休就显得有些无能
为力了。

假如，像这种"刚起床时的睡意"连续好几天出现，而自己

162

却没有睡眠不足的感觉的话，那么就有可能是患上睡眠呼吸暂停综合征了。在睡眠过程中出现的呼吸暂停，会导致大脑出现清醒反应，但未必能让人完全清醒过来。因此，很多人起床后并未意识到自己的呼吸曾停止过。

睡眠的流程一旦被打乱，身体就无法为起床以及之后的活动做好准备。

过量饮酒、慢性的睡眠不足将会助长这种混乱，即使天已经亮了，但大脑仍迟迟未过渡到长时间的REM睡眠状态，因此很可能就勉强自己在非REM睡眠状态下挣扎起床，所以才会感觉非常不清醒。

生活节奏被打乱，也必然会导致睡眠节奏的紊乱。这样一来，入睡后的90分钟也将无法得到保证。甚至，还会导致非REM睡眠无法完成其所承担的重要作用——释放睡眠压力，所以即使天亮起床，自己仍会感觉到睡意犹在。人虽然起床了，但大脑还是一片模糊。

我们将这种因残留的睡意而引发的大脑迟钝现象，称为"睡眠惯性"。

本书曾重点介绍过如何保证入睡最初时的睡眠质量，此外，大家还可以结合第5章中所介绍的"空窗期"的做法来设定闹钟，让自己的起床时间与REM睡眠保持吻合。

吃不吃午饭都会犯困

我之前说过，午后消沉的原因，主要是受睡眠负债和昼夜节律的影响，相信很多人对此表示怀疑吧。

肯定会有人提出反驳："欸？难道不是因为吃了午饭的原因吗？"

但是，斯坦福大学已经通过研究指出，午饭与下午2点左右出现的入睡时间缩短（睡意来袭）现象没有关系，也就是说，从生物学的角度来看，午饭并非是导致人在午后犯困的主要原因。

对于午后消沉，我们也可以尝试各种对策。其中，效果较明显的是早晨多睡1~2个小时的懒觉法。早晨如果睡一会儿懒觉的话，将能稍微缓解午后消沉的现象。

不过，这里并不推荐晚睡晚起的生活方式。如果可以通过延迟起床时间的方式来缓解午后的睡意的话，就等于是间接证明了这是由慢性睡眠不足而导致的睡意。

原本，睡眠不足这件事本身，就对午后的睡意有一定的加强作用，因此，这种懒觉法只能说是治标不治本，因为我们欠下的"负债"仍需偿还才行。

但事实上，我们大部分人也确实感觉到吃过午饭后会犯困。

那么，这到底是怎么一回事呢？

　　"进食后，为了完成消化过程，向肠胃流动的血液会增加，从而导致供给大脑的血液减少"，这是我们常听到的一种解释，但其实无论在何种情况下，我们的身体都是优先保证对大脑的供血的。

　　所以，午饭后的睡意并非源自血流的问题。依我看，是因为饱腹感导致意欲低下，什么也不想做，从而会想要睡觉。

　　严格来说，午饭后出现的犯困其实应是一种倦怠感，其与睡意还是不同的。虽然二者很难被完全区分开来，但是至少就我们的经验来说，很少听到有早饭后的睡意吧。

　　下午2点左右出现的倦怠感与午饭并没有关系，而且与真正的睡意有所区别——即便如此，由于其也会造成实际的问题，所以还是有必要加以应对的。

　　我的建议是，午饭时最好不要摄入太多的淀粉。

　　吃得过多会对血糖值产生影响，极端情况下，还有可能抑制苯基二氢喹唑啉等体内清醒物质的活动。我一直保持着开始工作后白天不进食的习惯，当然这也取决于每个人的体质。在现代社会中，人已不再是捕食动物，而空腹时体内苯基二氢喹唑啉的分泌会增加，从而使人的清醒程度得到提高。

　　偶尔有客人来访时，我会和他们一起在斯坦福大学的教师食堂共进午餐。这里因菜品丰富且采用自助餐形式而深受访客的欢迎，但我通常也只吃半份三明治。

刚来美国的那段日子，我也喜欢吃这吃那，但是到了下午整个人就感觉昏昏沉沉的，什么事也做不了，所以才慢慢养成了现在这样的习惯。

餐厅之所以提供半份的三明治，应该是受到了健康潮流的影响吧。很多斯坦福大学的教职员工都认为午饭应该少吃些。

不过，作为日本人的我一开始会感到困惑——这么多也算是半份吗？其实按美国人通常的饭量来说，已经算是很克制了。

午饭少吃点，避免摄入过多的淀粉，这样能有效防止午后倦怠感的出现。此外，在吃饭时也要像第5章中说的那样，有意识地细嚼慢咽。

无聊会议中袭来的"睡魔"

不过，仅仅如此还是无法回避睡意的。

因为无论你吃不吃午饭，由于受到午后消沉的影响，到了下午2点左右仍会有睡意向你袭来。而且，很多人甚至在下午2点之外的时间里，也会想睡觉。

99%的人都会在下面这些不能睡着的场合下感觉到睡意。

●大学的课堂上，趴在桌子上睡着了。

●在冗长的部长发言的会议中，昏昏欲睡。

●做着单调的事务性工作，当自己注意到时口水已经流到文件上了……

除了午后消沉现象外，为何睡意还会时常出现呢？

正如此前所说的那样，体温与室温的变化会引来"睡魔"的突袭，有时也是因为你的睡眠不足或体质较差而导致的。

因此，基本上通过提高最初90分钟的睡眠质量，能够减少"睡魔"出没的机会。

不过，话虽这么说，最高质量的睡眠也不是一下子就能实现的。

接下来，就如何驱走眼前的睡意，来介绍斯坦福大学抗瞌睡方法。请大家在第二天的工作中，务必尝试这一方法，马上就能赶走睡意，重新还你一个清醒的世界。

打败"睡魔"的抗瞌睡法

美国人开会时就不打瞌睡

开会时容易犯困——这是很多商务人士都有的烦恼，不过就我自己的印象来说，好像在日本开会时打盹儿的人，要远多过美国啊。

科学界并没有睡意会因人种而有差别的说法，即便有这样的研究报告，也必须严格按照所处纬度的不同、日照时间以及平均气温的差异来进行验证才行。而且，说到美国人，其实也是包括了白人、黑人以及拉丁种族、亚裔种族在内的。特别是西海岸，聚集有很多的亚洲人，但他们在开会时就很少表现出昏昏沉沉的迹象。

我觉得，会议中出现的睡意并不能归结为生理上的问题，很多情况下，还是会议本身的进行方式出了问题。

在日本，一次会议基本上要开很长时间。参会的人员也没有经过严格的筛选，很多人都是抱着"只是露个面，在那儿一直坐着就好"的想法来参会的。

此外，会议的流程往往也是固定好的，"谁先第一个进行说明，然后关于他讲的内容，由谁来发表什么样的意见"等，好像都已经是约定俗成的。

我在日本参加研讨会时，一般在最后都会有提问的环节，不过大家总是不愿意第一个起来发问。在一阵沉默之后，会议的主持人或者大学的教授，就会说："××君，你有没有要问的啊？"以此来变相地对提问者进行点名。

这在美国是绝对没有的现象。

美国的会议都很简短。一般事先就会约定好结束时间，如一个小时或者30分钟，重要的事情说完后会议也就结束了。因为事先设定好了结束时间，所以很多参会者也可以在之后安排其他的工作。

参会人员也是限定在最少的人数。而且参会的人肯定都会亲自发言。即使没有所谓的提问环节，当他们碰到想问的地方时也会立刻就提问并阐述自己的意见。

特别是我所在的西海岸地区，很多人哪怕没有经过深思熟虑，也会想提出自己的意见。因为这里的风气是如果不当场说出意见的话，之后无论再怎么抱怨也无济于事了。

这就是美国的一种文化——不发言的人，就像是透明人一样。即使是小学生，如果不发言的话，就跟没来上课一样。沉默绝非是金，更不用说在会议或课堂上睡觉了。

正如前文所述，"对话"是保持清醒的最强"开关"。所以，积极地发言便不再会有睡意。

在美国的学术会议上，常常会有人因为没听明白或怕听漏了一些信息而进行提问，而我也是其中一个。

我们的目的是要弄明白全部的内容，或者加深自己的理解，所以并不会认为"没听明白"是一件羞耻的事情。不懂装懂才是真正可耻的。

虽然这里所说的并不是我本专业的内容，但是我觉得大家应该都会对此有所共识，所以就多说了一些。

基于"知识就是力量"的观点，本书不仅会介绍方法，也会对其中的道理进行解释说明。有了正确的知识，人们才能剔除那些错误的信息，才能自己想出新的方法，顺应时代的变化而不断自我升级。

在会议上积极提问吧。哪怕是些细小的问题也没事。尽量当场解决掉心中的疑问——这样强烈的想法，能一点点化解你的睡意。

控制清醒的神经细胞

在我们体内，有很多神经细胞在控制着我们的清醒状态，它们都分担着一定的功能。利用好这些神经细胞就能帮助我们打败睡意，所以请大家务必牢记。

当我们清醒时，去甲肾上腺素、5-羟色胺、组织胺等这些神经细胞也保持着活跃。而苯基二氢喹唑啉也与清醒的状态有着紧密的关系。其中，最后被发现的苯基二氢喹唑啉可谓是举足轻重的角色，因为它控制着其他的清醒物质。

虽然人们关于多巴胺还有不同的见解，但是它能在紧急事态下发挥巨大作用，例如，让我们遭遇地震时跳得比平时更高，遇到火灾时使出比平时更大的力气，而它也与我们的清醒状态息息相关。

由于与清醒状态相关的神经细胞有很多种，所以我们在清醒时也常会伴有各种各样的生理现象，例如，常见的紧张、注意力集中、警觉等，都可以说是清醒时的重要行为状态。

另外，非REM睡眠状态下大脑整体的活跃程度是低下的，这个阶段所承担的五大作用，也已经在第2章中介绍过。可以说，此时就是被动的状态，甚至是脆弱的。因此，非REM睡眠状态下活跃的神经细胞数量很有限，几乎都集中在丘脑的下部。

总之，要想重新让自己清醒，就必须唤醒比非REM睡眠状态时多得多的神经细胞，而这些担负着各种功能的神经细胞，则是让我们保持清醒的开关。

越细嚼慢咽就越清醒

有很多种方法，可以让我们在工作中打开这些清醒开关，比如吃口香糖就是其中一个。

在第5章中，我们曾经提到过吃东西时从不咀嚼的老鼠，其睡意也较多，而我们则可以利用好咀嚼动作的这一特性，来让大脑保持活性。也许大家都有这样的经验吧，我们常常会吃加入了薄荷、咖啡因等具有提神醒脑成分的口香糖，这样等于是同时接受了提神成分的刺激与咀嚼动作的刺激。

"犯困的话，就喝杯咖啡"，这也是一个典型的清醒开关。

咖啡因具有令人保持清醒的作用。虽然不同厂商的产品存在差异，但是很多保健品中都加入了咖啡因成分。所以，咖啡因可以说是全世界被消费最多的清醒物质了。

在我们的印象中，说到咖啡因的话，肯定是咖啡里最多，但实际上，像绿茶和红茶中也都含有咖啡因，特别是抹茶中的含量很高。当然，用可可豆制成的巧克力和可可热饮中也含有这一成分。

握着冰冷的东西就不会犯困了吗？

那么，热咖啡与冰咖啡哪一个提神效果更好呢？

当我们喝下热咖啡或大酱汤等这些热饮后，体温多多少少会有所上升，人的清醒程度也会提高。因此，如果是饮料的话，比起冰镇的来，常温或者热一些的会更有助保持清醒。

拉开体内温度与体表温度之间的差距，就能缓解睡意，所以常会有人问我："手里握着冰凉的罐装咖啡，让手部的温度降下来的话，这样能驱赶睡意吗？"

理论上这是成立的，但是很遗憾的是却并没有确凿的证据支撑，所以直接的提神作用是很弱的（有这样的意识，说不定也能让大脑暂时活跃起来）。

不过，因为有些人表示这样做有效果，所以握着5分钟的话，也有可能提高清醒程度。

像这样，通过手部来调节体温，实际上会存在各种可能性。

斯坦福大学专门研究体温调节的生物学教授克雷格·赫勒（Craig Heller）等人就研发出了一种神奇的装置，其外形就像一个小小的蛋壳，使用者可以将胳膊肘伸进去。通过该装置的抽吸，可以促进手部血管的扩张，从而有效地调节人体的体温。

经确认，在做运动时，通过该装置来降低体温，能促进疲劳的恢复并提高运动能力。

实际上，拳击选手在使用这一装置后，表示完全感觉不到疲劳了，训练的效率显著提高。还有，有的学生在戴上这一装置后，进行引体向上的运动，能比平时多做很多个，肌肉能够获得更高效的锻炼。而美国棒球联盟的球队已经开始将其运用到日常的训练中了。棒球选手的表现获得了显著提高。特别是在东京巨蛋运动场这样室温较高的场所中使用，效果会更值得期待。

仅仅通过扩张手肘下方的血管，就能提高训练的效果，而且还有助保持体力，所以该装置已经成为了运动竞技场上的秘密武器。而且，该装置预计能应用于中暑性闷热患者的治疗中。

此外，由于其还可以快速地提高体温，所以，在手术中因麻醉药效而体温快速下降的患者、潜水后体温无法恢复的潜水员等，都可以使用这一装置。

由此看来，我们的手部对于体温的调节，有着巨大的影响力呢。

快速恢复能量的小睡方法

小睡能让大脑获得戏剧性的恢复

这里，我想来聊一聊最近比较热门的小睡话题。

通过对猴子的睡眠研究，我们发现其大部分都会进行午休。

而我们人类的话，因为社会生活的缘故，往往要连续保持14至16个小时的清醒状态，不过，作为灵长类动物中的一员，人类也可能在漫长的进化过程中，形成了午休的习惯。

实际上，在西班牙等国家，有些地区还保留着午休的风俗。到了下午3点左右，商店、企业、政府部门大都进入到关门歇业时间。

就像之前的实验结果显示的那样，人类到了下午2点左右会开始犯困，这种所谓的午后消沉现象，也许就是连灵长类动物都无法避免的一种睡眠模式吧。

虽然也有可能涉及某种病变，但是清醒程度稍微有些降低，整个人的表现也随着下降，这些都是很自然的生理现象。也就是说，作为人来说，没必要将睡意视作自己的敌人，其也不会危及我们的身体。

要想进入到睡眠状态，是需要满足各种条件的。感到犯困的时候，就意味着在某一瞬间，我们的体温或大脑正好达到了某些睡眠条件，而这实际上也是我们能加以利用的好时机。

在小睡前5分钟，手里拿一些温热的东西，以此来提高手部的温度，这样能让我们更顺利地进入到深度小睡的状态，醒来后睡意将会驱散，而工作中的表现也会更好。尝试着将"睡意=应消除的东西"这样的意识转变为"睡意=机会"。这样，午后消沉也能成为我们的朋友。

超一流的能量午睡方法

像谷歌、耐克等一些西海岸的企业，都已经了解到了午睡的效果，所以会鼓励自己的员工在工作时间里进行午休。此外，手机上还能下载帮助进行小睡的APP。

"能量午睡"的效果，同样也可以通过实验数据来获得验证。

这里，我们又要说到那个当显示屏的画面中出现圆形时按按钮的实验了。

通过这个实验可以帮助我们准确地掌握参与者的清醒程度，

并能统计出他们的反应时间，但是这个实验同样能让我们了解到13名参与者在近90分钟的时间里，保持连续的清醒状态会产生什么样的结果。

随着清醒时间的增加，他们做动作时的反应时间就越多，按错按钮的反应失误也随之增加。虽然这样的结果在我们的预想之内，但是如果在每12个小时的连续清醒状态后休息2个小时（1天中的话，相当于休息4个小时），则能有效减少失误的发生。不过，4个小时的小睡，并不能让反应时间完全恢复到正常水平。

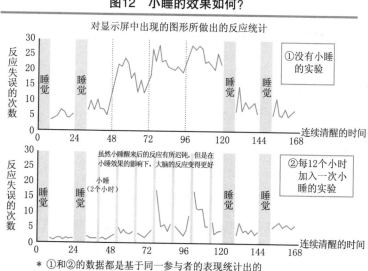

图12　小睡的效果如何？

* ①和②的数据都是基于同一参与者的表现统计出的
* 反应时间过长、按错按钮等都算作反应失误

🔴 仅仅通过小睡一会儿，就能大幅减少大脑的失误！

虽然，我们在实验中设定了"每12个小时就小睡2个小时"的理想情况，但在现实生活中，一般是无法完全做到的（这也是我们不推荐商务人士采用的原因所在）。

但是，请各位放心，哪怕只是20分钟的小睡，也已经能在某种程度上恢复我们的大脑反应了。

要让日本的公司率先为员工设置可以午睡的工作环境，恐怕还尚需时日，但是一直强忍睡意会导致整体的工作效率降低，其实只需要小睡20分钟，就能重新振作精神，何乐而不为呢？

午休时熟睡会对大脑不利吗？

虽然小睡很有效，但是也希望大家一定要注意"小"的含义。

2000年，日本国立精神神经医疗研究中心的朝田隆、高桥清久等人，针对337名患有阿尔茨海默症的老年人及其配偶260人，进行了午睡习惯与痴呆症发病风险的研究分析。

有意思的是，每天午休不超过30分钟的人与没有午休习惯的人相比，前者发病的概率仅为后者的1/7。此外，午休时间在30分钟至1个小时的人与没有午休习惯的人相比，前者发病的概率则为后者的一半。

仅从这一数据来看，我们也许可以说午休能让我们远离痴呆症，但不能太过单纯地这么认为。毕竟数据还显示，午休时间超过1个小时的人与没有午休习惯的人相比，前者患病的概率比后者高出2倍啊。

当白天想稍微睡一会儿时，如果是超过30分钟以上的熟睡状态，就有可能会导致非正常老化或疾病的发生。

即便没有这些问题，30分钟以上的午休对于商务人士来说，也不是一件好事，这容易造成注意力低下，以及因睡眠惯性带来的一系列弊害（睡眼惺忪）。

白天时熟睡，即使对于健康的年轻人来说，也会有可能造成在夜晚时睡眠压力无法提高，从而难以顺利入睡。当然，也会对大脑产生影响。

基于以上这些因素，我们认为小睡20分钟左右才是最佳选择。

碎片化的睡眠会有效果吗？

我在美国时，常骑着自行车在校园及旁边的城区之间通勤。其实，硅谷目前的交通拥堵问题也很严重，明明骑车用不了15分钟的路程，开车的话就得耗费将近1个小时的时间。此外，这里全年气温比较恒定，空气湿度较低，其实是非常适合短程骑行的。

虽然在日本大家多乘电车通勤，但我也常见到有人靠在座位上睡着的样子。

乘坐电车时的小睡，多为非REM睡眠的状态，很多人在睡着时都是肌肉微微抽动，但眼球运动很少的状态。就这样坐着并且以一个不安稳的姿势睡觉，很难过渡到REM睡眠的状态。而且，一旦进入到深度睡眠，醒来时肯定会感觉很糟糕。

我曾经在日本举行过几次面向企业的演讲，有人向我这样提问："利用早晚乘坐电车的时间进行碎片化的睡眠，这样能有助于缓解睡眠不足的问题吗？"

我先来说结论吧。连续睡满6个小时与碎片化的睡眠累计达6个小时，二者在睡眠的质量上是完全不一样的。在碎片化的睡眠过程中，睡眠周期是无法正确形成的。

那么，电车上的小睡对于解决睡眠问题就没有一点儿帮助吗？

只能说还是那句话"Better than nothing"。比起完全不睡觉来，短暂的小睡也是有好处的，只不过靠碎片化的睡眠是无法完全弥补睡眠不足的。只能将其作为一种辅助的手段而已。

在自家的床上睡4个小时，然后在早、晚上下班的路上再睡2个小时，合计就是6个小时的睡眠了，像这样的睡眠模式，只能说是一个苦肉计了。

那些平时认为"在电车上睡了会儿，所以没问题"的人，从长期来看其工作上的表现可能会比较低下，也会对身体产生负面的影响，所以，最好还是改变自己的观念吧。

周末睡眠法

"啊！又要到周一了！"我想大家在周日的晚上，都会产生这样的忧虑吧。

虽然早晨眼睛睁开了，但是头脑并不清醒，心情也很低落——又是周一了吗？

这种所谓的周一忧郁综合征（Blue Monday），其实是能通过睡眠来加以控制的。

人们之所以无法从周末这样的休息时间顺利切换到周一的工作时间，主要还是自身的节奏出了问题。周五大家出去聚餐，周六又和家人一起出门游玩，这些活动往往都会导致入睡时间的延后，受其影响第二天起床的时间也会推迟。这样一来，就造成生活节奏的紊乱，睡眠的"量"和"质"自然也会下降。

周六、周日的早晨，比平时多睡1至2个小时（起床时间延后），这并不算是什么问题。因为，这也是我们的身体所必要的睡眠时间。

实际上，我在周六的早晨也会多睡一会儿。不过，有时隔壁邻居的老妇人，她的电脑会遇到故障，因为邻里关系处得不错，所以她常会过来拜托我太太"周六早上，能不能让你先生帮我看看"。因此，为了帮她修电脑，周六的早晨我可能起得比平时还要早。

但是这样一来，身体所需要的睡眠就无法得到满足，正是这些细小的事情，会让你的身体在接下来的一周中有不舒服的感觉。

周末时，也不要忘了维持往常的作息。特别是，哪怕早晨比平时多睡一会儿，但上床的时间一定要和平时保持一致。

我们研究室会将学术例会定在每周一召开。遗憾的是，由于会议室的场地问题，要拖到下午1点才能开始，不过从会议室的预约状况来看，大部分人也都是将学术例会集中安排在了周一吧，而且从早上8点开始就一直安排得满满当当。

医学部的临床会议也大多安排在周一早上7点或8点。像这样，连续2到3年保持周一早上7点出席会议，自然也会给周末的生活方式带来变化。

如果你是一个正在为团队管理而烦恼的领导者，将会议安排在周一早上进行是一种好方法。仅靠这一改变，就能让部门的工作表现有全新的提高。而且，取消那些晚上的漫长会议、让人打瞌睡的无聊讨论等，这才是明智之举。会议的节奏越紧凑，对打破周一忧郁综合征的效果就越好。

对于个人来说，如果是在周一的上午被安排了重要任务，这也会让其感受到某种程度的强制力。

还有，作为管理岗位的人，要对自己的部下进行健康管理（特别是要预防抑郁症、酒精依赖、焦虑症等），要时常将睡眠卫生的重要性放在心里。

如果对方看起来没有睡觉的话，就可以关心地问一下："昨晚没睡好吗？"抑郁症造成的自杀事件（据说大多集中在周一）非常严重，不过借助适当的睡眠管理方法，能够使其获得有效改善。

改变人生的1/3，也会影响剩下的2/3

只有睡眠才能做到的事

无论借助何种科学疗法，都无法对我们的大脑和脏器进行维护，而睡眠恰恰能做到这一点。

集合了许多科学家和医生的力量，都无法做到体内节律的平衡调节，也只能通过睡眠来实现。

我们在第2章中所介绍的睡眠的五大作用，也只能通过睡眠来实现。除此之外，"睡眠"还具有很多我们尚未弄清楚的功能。虽然我已经说过很多次了，对于睡眠的研究，还存在很多的未知领域，这不禁让人感叹人体的不可思议。

睡眠是一切医学的基础，可以说，其与高血压、心脏病、痴呆症等各种疾病都息息相关。

在从整形外科衍生出来的，以心理辅导、伤病治疗与预防为主的运动医学领域，大家也正在逐渐转变意识，认为睡眠才是一切的基础。

通过睡眠管理不仅能提升人的工作表现，也能大大预防受伤和生产事故的发生。在心理辅导的过程中，如果能有一个高质量的睡眠，那么患者康复的速度会更快。

作为运动员来说，必须在较短的比赛时间内发挥出最高的运动水平。就竞技本身来说，随着运动员的年龄增长，会遇到一定的巅峰期，而这对于整个人生来说则是很短暂的。

也就是说，运动员不断地在训练与比赛中循环往复，而这与我们平时的工作或学习相比，是极为浓缩的一种状态。

我作为研究睡眠的专家，会经常和运动员打交道，当我看到他们的状态时，仿佛也看到了做研究的自己，以及各行各业的人生缩影。就像那个"以90分钟为一天"的实验一样，我们对运动员的研究，就像是在短时间内观察普通人的一生。

为了在短时间内获得最佳的成绩，他们会很认真地对待睡眠。而且，通过我们的研究数据发现，只有认识到了睡眠所具有的作用，并在这一方面用心去改善的选手，才能成为真正一流的运动员。

我觉得运动员重视了睡眠，运动表现才会有提升，其实这也可以套用到商务人士的身上，即商务人士重视了睡眠，其工作表现才会更好。

最好的礼物

本书从基础内容讲起，也包括了最新的科研信息，可以说网罗了日常生活中会接触到的睡眠知识。

不过，我们对睡眠的了解，现在来说仅仅只是一小部分而已。

这是我在汇集了所有最新信息，并且在一直以来作为睡眠研究"发祥地"的斯坦福大学持续研究了30多年后，所得出的实际感受。

比如说，关于做梦，我们目前就知之甚少。

● 过去所受到的精神伤害或者平日里所关注的事情，为何会在梦中多次出现呢？

● 总是做同一个梦的原因是什么？

● 梦境为何会受到身体、精神状态的影响？

● 人真的会日有所思，夜有所梦吗？

● 为何梦境都是从中间开始或者是呈片段化的呢？

很多像这样深奥的未解之谜，可以说是带有浪漫色彩的学问。

不仅仅是睡眠，包括脑科学在内，这些几乎是人类目前所面对的最大的黑盒子。也正因为如此，才充满了各种可能性。

也许，你在清醒的状态下，已经尝试过所有的努力和方法，想让自己的工作表现有所提升吧。但是，这些努力只是针对人生的2/3部分去做的。

如果原本就没有一个高质量的睡眠，就会造成睡眠出现问题，而有问题的睡眠自然也会导致清醒时的状态出现问题。二者之间会不断地互相影响，因为，"清醒"与"睡眠"本就是合二为一的事物。

如果你对眼下的工作或生活感到不满意的话，请尝试着去改善剩下的1/3部分吧。这样一来，会对另外的2/3部分产生正面的影响，真可谓是一举两得的事情。这里引用德门特教授的一句话，"对除睡觉以外的人生来说，睡眠也是一件很棒的礼物"。

良好的睡眠一旦成为习惯的话，就不需要再多加干涉了。这就是所谓的实现梦想的最简单方法。

掌握正确的知识，并改变自己的行为。

让自己熟睡并实现黄金90分钟吧。

你一定会过上"有福之人不用忙"的幸福生活。

我在斯坦福大学的研究

我在斯坦福大学研究睡眠已经超过30年的时间了。这期间，硅谷地区经历了快速的发展，交通量也急剧增加。就像我之前说的，由于堵车问题越来越严重，所以现在我都是骑自行车去上班，而且已经坚持了7年。

拂面而过的微风，令我感到心情愉悦，而我回过头去，看到的是一旁绵延的车流，它们都在那里焦急地等待着前行的机会。

"这几百辆车里面，有多少人正感受到'睡意'来袭呢？"

"回家后，又有多少人能睡个好觉呢？"

"如果大家都没有睡眠障碍，那当然是再好不过了"，可是我在这样想的同时也意识到，这么多汽车废气造成的环境污染，会加剧人们睡眠环境的恶化。

"想要帮助那些因睡眠而苦恼的人"，迄

今为止，我的研究都是基于这样的信念，所以才会全神贯注地研究如何剔除睡眠的负面效应。摆脱睡眠带来的痛苦——这是我的使命，也是斯坦福大学睡眠研究所的目标。

大家都是潜在的患者

根据国际诊断标准，睡眠障碍可以有超过80种以上的分类，并且存在着多种多样的复杂疾病群。像失眠症、睡眠呼吸暂停综合征等都是比较频发的，这么说起来的话，"大家可能都是潜在的患者"。

我的专业是研究一种被称为发作性嗜睡症的、发病原因不明的疾病，我从1987年开始就在斯坦福大学对此进行了研究。

发作性嗜睡症在距今140年的文献资料中首次出现，这是一种不可思议的疾病，患者会突然遭遇难以忍耐的睡意。曾有一段时间，我认真地思考过这是否与歇斯底里的心理问题有关。

所以在本书的最后，我想就我的研究来说几句。

兴奋到会睡着的狗

发作性嗜睡症不仅是一种嗜睡症，其通常也会伴有猝倒、睡眠瘫痪等REM睡眠状态下的异常表现。

健康的人在睡眠与清醒状态发生紊乱的情况下，也有可能出现睡眠瘫痪的症状，但是猝倒只会在发作性嗜睡症的患者身上出现。这是一种因开心、喜悦等兴奋情绪，导致全身突然无力而倒下的一种症状。

创立了斯坦福大学睡眠研究所的德门特教授，在1973年就发现了一只患有发作性嗜睡症的狗，其会因得到狗粮而兴奋到全身出现无力的状态。而且，他还发现了由于家族遗传（遗传基因的影响很大）而出现猝倒症状的多伯曼犬与拉布拉多犬。此后，他在斯坦福大学开始繁殖和饲养这些狗。

这些患有发作性嗜睡症家族病史的狗中，如果父母双方都表现出该症状的话，它们的孩子也肯定会患有发作性嗜睡症，反之，若父母有一方是健康的话，它们的孩子就不会得这种病。

总之，从这些狗的身上可以看出，发作性嗜睡症通常都是遗传基因的染色体上出现了问题，特别是当配对的染色体双方都出现变异时，就会导致发作性嗜睡症的出现。

从我来美国的第二年，也就是1988年开始，以发作性嗜睡症研究所所长伊曼纽尔·米尼奥（Emmanuel Mignot）为首的研究者们，将发作性嗜睡症遗传基因的特定实验作为了团队的重要课题。进行这项研究真的是非常需要有耐心的一件事。当时还没有今天这样的研究条件，人们对狗的遗传基因图谱还一无所知，整个课题可以说完全看不到终点。

时间到了研究开始后的第十个年头——1999年，人们终于发现这些狗体内一种名为苯基二氢喹唑啉（别名为"下丘脑泌素"）的遗传基因发生了变异，这一物质主要用来作为受容体，一旦它的功能失常，就会导致发作性嗜睡症的出现。

另外，发现了苯基二氢喹唑啉的柳泽正史科研团队，于1999年发表报告称无法分泌苯基二氢喹唑啉的小白鼠，也表现出了发作性嗜睡症的症状。

两个团队的科研结果可以互相印证，并发表在Cell杂志上。从那以后，关于发作性嗜睡症的研究有了跨越式的发展。

嗜睡症发病的原因

我们的最终目标，是要弄清楚人类出现发作性嗜睡症的原因。

人类身上出现的发作性嗜睡症大约95%是孤发病例（受遗传因素的影响很低），剩下的5%则属于是家族病史。然而，即便是家族病史也无法判断其具体的遗传方式，只能推测与多数遗传基因有关。

我们在对狗的发作性嗜睡症遗传基因特定研究中，从全世界收集了40份高风险性（因遗传而患病的可能性很高）发作性嗜睡症患者的家族DNA样本。遗憾的是，那些在狗身上所见到的遗传基因变异情况，在这些DNA样本中却极为稀少。

在这次调查中，我还发现了利用脑脊髓液来测定苯基二氢喹唑啉的方法。斯坦福大学饲养了一些属于孤发病例的发作性嗜睡症的狗，通过实际调查这些狗的脑脊髓液，我们首次发现其脑脊髓液中的苯基二氢喹唑啉，与小白鼠的案例一样消失了。

我们立马想到调查人类患者的脑脊髓液，但是要想做这样的实验，必须先获得医学伦理委员会的许可才行。而且，髓液采集的准备工作、患者的召集也都需要时间。此外，我们的研究计划也存在泄露的风险，所以每天都是度日如年。

幸运的是，从荷兰来斯坦福大学留学的研究者，帮我们在荷兰采集到了受测试者的脑脊髓液。

调查结果正如我们所预想的那样，人类的脑脊髓液中苯基二氢喹唑啉的含量也异常少。

这一结果被发表在2000年1月英国出版的*Lancet*杂志上，令人欣喜的是，这篇论文还被欧美学术界评为"2000年发表的医学论文中最具学术影响力的论文"。

基于这一发现，让发作性嗜睡症的早期诊断成为可能。由于发作性嗜睡症的所有症状会短暂性的消失，所以从发病到诊断、治疗，往往需要数年的时间。而且，这一疾病大多集中出现在对学业或走上社会来说都非常重要的青春期，因此，确定了这样的一种诊断方法，是一大重要的成果。

斯坦福睡眠研究的使命

我们已经发现，狗会患发作性嗜睡症是因为遗传基因的缘故。

我们还发现，人类会患发作性嗜睡症是因为苯基二氢喹唑啉的脱落造成的。

这两大发现，是我和斯坦福大学在睡眠研究领域的重大成果。

也许有人会说发作性嗜睡症的患者不多，确实，其患病概率为1/2000，算是比较罕见的疾病。

但是，其发病率却与帕金森氏病、多发性硬化症等疾病一样高，发作性嗜睡症患者的QOL[①]会明显受到影响，甚至能与重度抑郁症相提并论。

此外，对睡眠疾病这一"黑盒子"的研究，也将帮助我们弄清楚很多精神疾病与神经疾病的患病原因。

当我们进一步弄清睡眠的相关机理后，就能生产出完全无副作用的安眠药。实际上，日本在2014年就已经许可开发一种新型的安眠药，其药理就是抑制体内的苯基二氢喹唑啉发挥功能（人就像患了发作性嗜睡症一样会很快睡着）。

像这样，我们今后还将继续研究其各种可能性，"从今天开始，改变你的睡眠与清醒状态"，就是我们所坚信的使命。

---

① 即Quality of Life，生活质量。——译者注

因为，睡眠医学是一门关系到人类与未来的科学。

今天，我能继续进行这方面的研究，应衷心感谢SCN研究所的各位成员。他们对研究充满热情，并为每一天的研究贡献出了他们的睿智与活力。特别是要向酒井纪彰副所长表达我的谢意。

还要感谢当年能给我留学机会的大阪医科大学校长（原京都大学医学部部长）早石修老师、大阪医科大学精神科教授堺俊明老师。对二位给予我的帮助，真的是感激不尽。

最后，希望大家能听取我们的建议，放下手中的笔。

不要再为了工作而牺牲自己的睡眠，特别是在你想要完成创造性的工作时。

参考文献

　　此处以作者（姓+中间名及名字的首字母，四人以上的情况下仅保留第一作者）、文献名（斜体）、出版期刊名（可用简称）、出版年份、卷号（期号）、起止页（依据出版期刊标注）的顺序进行标注。

序言

•Dement, W.C., *History of sleep medicine*. Neurol Clin, 2005. 23(4): p. 945-65, v.

第1章

•Saxena, A.D. and C.F. George, *Sleep and motor performance in on-call internal medicine residents*. Sleep, 2005. 28(11): p. 1386-91. （图1相关数据）

•Bannai, M., M. Kaneko, and S. Nishino, *Sleep duration and sleep surroundings in office workers-comparative analysis in Tokyo, New York, Shanghai, Paris and Stockholm.* Sleep Biol Rhythms, 2011. 9(4):p. 395. （图2相关数据）

•He, Y., et al., *The transciptional repressor DEC2 regulates sleep length in mammals.* Science, 2009. 325(5942):p. 866-870.

•Kripke, D. F., et al., *Mortality associated with sleep duration and insomnia.* Arch Gen Psychiatry, 2002. 59(2):p. 131-6. （图3相关数据）

•Kang, J. E., et al., *Amyloid-β dynamics are regulated by orexin and the sleep-wake cycle.* Science, 2009. 326(5955): p. 1005-7.

•Mah, C. D., et al., *The effects of sleep extension on the athletic performance of collegiate basketball players.* Sleep, 2011. 34(7):p. 943-50.

•Dement, W. C., *Sleep extension:getting as much extra sleep as possible.* Clin Sports Med, 2005. 24(2):p. 251-68, viii. （图4相关数据）

•Nishino, S., et al., *The neurobiology of sleep in relation to mental illness,* in *Neurobiology of Mental Illness.* N. E. Charney D. S. Editor, Oxford University Press:New York, 2004 p. 1160-1179. （图5相关数据）

•Takahashi, Y., D. M. Kipnis, and W. H. Daughaday, *Growth*

hormone secretion during sleep. J Clin Invest, 1968. 47(9): p. 2079-90.

第2章

• Spiegel, K. , J. F. Sheridan, and E. Van Cauter, *Effect of sleep deprivation on response to immunization.* JAMA, 2002. 288(12):p. 1471-2.

• Iliff, J. J. , et al. , *A paravascular pathway facilitates CSF flow through the brain parenchyma and the clearance of interstitial solutes, including amyloid β.* Sci Transl Med, 2012. 4(147):p. 147ra111.

• He, J. , et al. , *Mortality and apnea index in obstructive sleep apnea. Experience in 385 male patients.* Chest, 1988. 94(1):p. 9-14.

第3章

• Käruchi, K. , et al. , *Warm feet promote the rapid onset of sleep.* Nature, 1999. 401(6748):p. 36-7. (图9相关数据)

第4章

• Ito, S. U. , et al. , *Sleep facilitation by artificial*

carbonated bathing；EEG，core，proximal，and distal temperature evaluations. Sleep 2013. 36 Abstract Supplement：p. A220.

•De Lecea, L. , et al. , *The hypocretins：Hypothalamus-specific peptides with neuroexcitatory activity.* Proc Hatl Acad Sci USA, 1998. 95 (1)：p. 322-327.

•Sakurai, T. , et al. , *Orexins and orexin receptors：a family of hypothalamic neuropeptides and G protein-coupled receptors that regulate feeding behavior.* Cell, 1998. 92 (4)：p. 573-585.

•Dantaz, B. , D. M. Edgar, and W. C. Dement, *Circadian rhythms in narcolepsy：studieson a 90 minute day.* Electroencephalogr Clin Neurophysiol, 1994. 90 (1)：p. 24-35 (图11相关数据)

•Lavie, P. , *Ultrashort sleep-waking schedule. Ⅲ. 'Gates' and 'forbidden zones' for sleep.* Electroencephalogr Clin Neurophysiol, 1986. 63 (5)：p. 414-25.

第5章
•Adamantidis, A. R. , et al. , *Neural substrates of awakening probed with optogenetic control of hypocretin*

neurons. Nature, 2007. 450(7168):p. 420-4.

•Anegawa, E., et al., *Chronic powder diet after wearing induces sleep, behavioral, neuroanatomical, and neurophysiological changes in mice*. PLoS One, 2015. 10(12):p. e0143909.

•Yamaguchi, Y., et al., *Mice genetically deficient in vasopressin V1a and V1b receptors are resistant to jet lag*. Science, 2013. 342(6154):p. 85-90.

第6章

•Horne, J., C. Anderson, and C. Platten, *Sleep extension versus nap or coffee, within the context of 'sleep debt'*. J Sleep Res, 2008. 17(4):p. 432-6.

•Van Dongen, H. P. and D. F. Dinges, *Sleep, circadian rhythms, and psychomotor vigilance*. Clin Sports Med, 2005. 24(2):p. 237-49, vii-viii. (图12相关数据)

后记

•Nishino, S. and E. Mignot, *Narcolepsy and cataplexy*. Handbook of Clinical Neurology, 2011. 99:p. 783-814.

•Lin, L., et al., *The sleep disorder canine narcolepsy*

is caused by a mutation in the hypocretin (orexin) receptor 2 gene. Cell, 1999. 98(3) : p. 365-76.

• Chemelli, R. M., et al., *Narcolepsy in orexin knockout mice:molecular genetics of sleep regulation.* Cell, 1999. 98(4) : p. 437-451.

• Peyron, C., et al., *A mutation in a case of early onset narcolepsy and a generalized absence of hypocretin peptides in human narcoleptic brains.* Nat Med, 2000. 6(9) : p. 991-7.

• Nishino, S., et al., *Hypocretin (orexin) deficiency in human narcolepsy.* Lancet, 2000. 355(9197) : p. 39-40.

本书仅介绍了主要参考资料

完整版可从以下网址下载：http://www.sunmark.co.jp/ book_files/pdf/standford.pdf